新 潮 文 庫

米 中 開 戦

1

トム・クランシー
マーク・グリーニー
田 村 源 二 訳

米中開戦 1

主要登場人物

ジェリー・ヘンドリー	〈ザ・キャンパス〉の長
サム・グレインジャー	〃　　工作部長
リック・ベル	〃　　分析部長
ギャヴィン・バイアリー	〃　　ＩＴ部長
ジョン・クラーク	〃　　工作員
サム・ドリスコル	〃　　工作員
ドミンゴ・〝ディング〟・シャベス	〃　　工作員
ドミニク・カルーソー	〃　　工作員
ジャック・ライアン・ジュニア	〃　　工作員／分析員
ジョン・パトリック・ライアン	アメリカ合衆国大統領
メアリ・パット・フォーリ	国家情報長官
メラニー・クラフト	ＣＩＡ分析官
ダレン・リプトン	ＦＢＩ上級特別捜査官
ヴァレンティン・コヴァレンコ	元ＳＶＲの英国副駐在官
韋真林(ウェイ・ヂェンリン)	中華人民共和国の国家主席
察(チャー)	韋の秘書官
蘇克強(スー・コーチアン)	中華人民共和国の中央軍事委員会主席
夏(シア)	蘇の副官。少将
トッド・ウィックス	コンピューター会社の営業部員
宝(バオ)	売春婦
呉方俊(ウー・ファンジュン)	中国国家安全部の部員
〈ツル〉	テロリストのリーダー

プロローグ

リビアのムアンマル・アル＝カダフィ体制下のジャマーヒリーヤ保安機構（JSO）といえば、泣く子も黙る恐怖の諜報《ちょうほう》機関だったが、いまやその機関員たちのほうが恐れおののく番だった。体制転覆へと至った内戦をなんとか生き延びたJSO要員たちは、旧体制下で残虐《ざんぎゃく》行為をさんざん重ねてきたので、捕まれば今度は自分たちが同様な仕打ちを受けて惨殺《ざんさつ》されるにちがいないと怯《おび》えきり、散り散りになって潜伏生活を送っていた。

昨年、欧米の支援を受けた反政府勢力が首都トリポリを陥落させたあとも、JSOマンのなかには、別人になりすませば復讐《ふくしゅう》の餌食《えじき》にならずにすむはずだと考えて、リビアにとどまった者もいたが、思惑どおりになることはめったになかった。彼らの正体を知る者たちが、体制を倒した〝首狩り人〟たちに嬉々《きき》として垂れ込んだからである。恨みを晴らすためにそうした者もむろんいたが、新しい権力者たちの歓心を買うために密告した者もいた。ともかく、リビア国内にとどまったカダフィのスパイたちは、どこに隠れていようと引きずり出され、拷問《ごうもん》を受けたあと殺された。要するに、自業自得《じごうじとく》、当然の報いを受けたのである。ただ、欧米諸国は甘い考えをいだき、反政府勢力が権力を完全に掌握すれば、過去の犯罪は公正な裁判で裁かれるようになるのではないかと期待していた。

もちろん、そうはならなかった。カダフィが死んでも、支配に情けや寛容さがもちこまれることはなく、権力者は相変わらず無慈悲なままだった。

イギリスのロックバンド〈ザ・フー〉が歌ったように、まさに「新しい支配者《ボス》に会ってみな、前の野郎とちっとも変わらないぜ」というわけだ。

JSOのスパイでも賢い者たちは、捕まる前にリビア脱出にどうにか成功した。国境を接するアフリカの国々に逃げた者たちもいたが、チュニジアはトリポリから近いとはいえ、〈中東の狂犬〉（ロナルド・レーガンがカダフィに進呈したぴったりの渾名《あだな》）の元スパイには敵愾心《てきがいしん》を燃やしていたし、チャドは荒廃した国であるうえに、やはりカダフィの元スパイたちには敵意を抱いていた。アルジェリアやニジェールに入りこむことに成功した者たちも少数ずついて、どちらの国でも彼らはあるていどの安全を得られたものの、極貧国に厄介になっているという現実はどうにもならず、将来の展望はきわめて暗かった。

しかし、ジャマーヒリーヤ保安機構のある工作員グループは、そうした狩られる元同僚たちよりもうまくやっていけた。彼らにはとても有利な点があったからである。その小さなスパイ細胞は何年も前から、カダフィ体制の利益のために活動していただけでなく、私腹を肥やす仕事をもやってきたのだ。リビア国内でも国外でも報酬目当てのサイドビジネスをし、犯罪組織、アルカーイダ、ウマイヤ革命評議会のために、いや、中東の他の国々の情報機関のためにだって、さまざまな雑用をこなしてきたのである。

そして、そういう仕事で、体制崩壊以前にも仲間を失うことがあった。たとえば、カダフィが殺害される一年前、数人のメンバーがアメリカの謎《なぞ》の工作員たちに射殺された。内戦中のNATOによるトブルクへの空爆でも、さらに数人が死んだ。ミスラタから旅客機で脱出しようとしていたところを捕まった二人は、電気ショックで焼かれたあと、真っ裸のまま市場の食肉用フックに引っかけられ、吊《つ》るされた。だが、生き延びた七人の細胞メンバーは、なんとか国外へ出ることができた。長年にわたる副業でも金持ちになるまでには至らなかったものの、沈没する船から逃げ出す鼠《ねずみ》さながらに大リビア・アラブ社会主義人民ジャマーヒリーヤ国から脱出する必要が生じたとき、それまでに築きあげた国際的なコネがものを言い、国内の反政府勢力に殺されずにすんだというわけである。

その七人はトルコのイスタンブールへおもむき、彼らに借りのある地元のギャングたちの支援を受けた。すぐに、七人のうち二人が細胞から抜け、堅気の仕事についた。ひとりは宝石店の警備員になり、もうひとりは市内のプラスチック工場に職を得た。だが、残りの五人はスパイ・ゲームをつづけ、経験豊かなプロの諜報小部隊《インテリジェンス・ユニット》として下請け仕事を受注しはじめた。そして彼らはＯＰＳＥＣ（作戦関連《オペレーショナル》セキュリティ）だけでなくＰＥＲＳＥＣ（個人《パーソナル》セキュリティ）にも力を注ぐよう努めた。リビアの新政権の工作員の報復から身を護《まも》るには、ＯＰＳＥＣとＰＥＲＳＥＣの両方を厳重にする以外にないとわかっていたからである。なにしろリビアはすぐそこ、地中海の対岸にあるのだ。

このセキュリティへのこだわりのおかげで彼らはしばらくのあいだ安全に暮らすことができた。だが、数カ月もすると、無頓着《むとんちゃく》さがもどり、メンバーのひとりが自信過剰になって、やってはいけないと言われていたことをやってしまった。個人セキュリティ規則を犯して、トリポリの旧友と連絡をとってしまったのだ。そしてその友が、新たに設立されたばかりのリビアの情報機関にそのことを報告した。旧友は生き延びるために新政府に寝返っていたのである。

　トリポリの新スパイ集団は、宿敵の一団がイスタンブールへ渡っていまもそこにいるという情報に興奮したが、行動を起こす力はなかった。外国の首都に暗殺・捕獲チームを潜入させるなんて、本部ビルのまわりのようすもまだよくわからない新米《ルーキー》情報機関にできるわけもなかった。

　だが、この情報を通信傍受によって知った組織がほかにもあって、そこには作戦を実行する力も動機もあった。

　こうして元ＪＳＯのイスタンブール細胞のメンバーたちはターゲットになった。ただ、彼らの排除に動いたのは、カダフィ体制の最後の残滓《ざんし》を掻《か》き落としたがっているリビアの新権力者たちでも、かつての敵のスパイ機関員たちへの恨みを晴らしたがっている欧米の情報機関でもなかった。

　そうではなくて、五人のリビア人をターゲットにしたのは、アメリカ合衆国に存在する超極秘民間情報組織の暗殺チームだった。

　一年以上前に、そのＪＳＯ細胞に所属していたあるリビア人が、ブライアン・カルーソーという名の男を射殺したことが、そもそもの発端だった。ブライアンは、今回イスタンブールにまでやってきたアメリカ人暗殺チーム要員のひとりの兄であり、他のメンバーたちの友だったのである。ブライアンを撃ち殺したJSOマンはその直後に死んだが、細胞は生きつづけ、内戦をも生き延び、いまやトルコで新たな活動をはじめ、あんがい上手に商売してかなり稼いでさえいた。

だが、ブライアンの弟も、友も、忘れはしなかった。

許しもしなかった。

1

五人のアメリカ人はもう何時間ものあいだ老朽化した安ホテルに身をひそめ、日が落ちるのを待っていた。

生暖かい土砂降りの雨が窓を激しく打っている。暗い部屋のなかで聞こえるのは、その雨音くらいのものだ。男たちがほとんどしゃべらないからである。この部屋はチームの作戦基地だった。五人のうち四人は、今日までの一週間、市内の別のホテルに散り散りになって泊まっていたが、準備がすっかり整ったいま、それぞれのホテルをチェックアウトし、第五の男が泊まっているこの部屋に装具を携えて集結した。

いまはみな石のようにじっとしているが、この一週間、彼らはめまぐるしく立ち働いた。ターゲットを監視し、作戦計画を練り、偽装工作《カヴァー》をしっかりやり、第一、第二、第三の脱出ルートを頭にたたきこみ、作戦実行に必要となるあらゆることの段取りをつけた。

だが、いまや準備は完了し、夜の帷《とばり》が降りるのをじっと待つ以外にすることはない。

マルマラ海の沖に稲妻がひとつ走り、部屋のなかの五つの〝彫像〟を照らし出したが、それは一瞬のことで、すぐにまた彼らは暗闇《くらやみ》に包まれ、南のほうから雷鳴が轟《とどろ》きわたってきた。

ホテルはイスタンブールのスルタンアフメット地区にあった。このホテルがチームの隠れ家《セーフ・ハウス》に選ばれたのは、中庭に駐車場があることと、今夜の五つの作戦実行地点までだいたい等距離のところにあるという地理的条件のためだった。ただしそこは、ベッドカバーはビニール、廊下は薄汚れ、従業員は無愛想、おまけに一階のユースホステルからマリファナの臭《にお》いが漂いのぼってくる、というホテルだった。

だが、アメリカ人たちは宿泊施設についての不満などいっさい洩《も》らさなかった。彼らはこれから遂行しなければならない任務のことしか考えていなかった。

午後七時、チームのリーダーがストップウオッチ機能を備えた腕時計に目をやった。それは右手全体と前腕の一部をおおう包帯の上にはめられていた。彼は木製の椅子《いす》から腰を上げながら言った。「ひとりずつ出る。五分間隔で」

ほかの者たちが一斉にうなずいた。鼠《ねずみ》の糞《ふん》の染《し》みがついたベッドに座る者が二人、ドアのそばの壁に寄りかかる者がひとり。そしてもうひとりは窓際《まどぎわ》に立っている。

リーダーはつづけた。「こんなふうに作戦を分割してしまうのは気に入らない、いい、いい、もいいところだ。ほんとうはこういう方法は避けないといけない。だが、今回ははっきり言って……そうせざるをえない状況なのだ。こいつらをほぼ同時に排除しなければ、生き残ったゴキブリ野郎どもが危険を察知し、暗がりから明るいところに飛び出して散り散りに逃げてしまう」

ほかの者たちは黙って耳をかたむけていた。この一週間、彼らは少なくとも一〇回は同じことを言われた。だから、作戦の難しさも危険もわかっていたし、リーダーが不安を抱いていることも知っていた。

リーダーの名前はジョン・クラーク。彼はメンバーのいちばん若い者たちが生まれもしないころからこの種のことをやりつづけてきた男で、その言葉には重みがあった。「いいか、みんな、前にも言ったが、もういちど言わせてくれ。今回は上品にやっている余裕なんてまったくない」クラークはひと呼吸おいた。「仕留め、即、立ち去る。迅速かつ非情にやれ。一瞬もためらうな。情け無用だ」

全員がふたたびうなずいた。

ジョン・クラークは言うべきことを言い終えると、三《み》つ揃《ぞろ》いの細い縦縞《ピンストライプ》のスーツの上にブルーのレインコートを素早くはおった。そして窓際まで歩き、左手を差しのべ、差し出されたドミンゴ・〝ディング〟・シャベスの左手をにぎった。シャベスは七分丈の革のコートに厚手の防寒帽《ウオッチ・キャップ》という出《い》で立《た》ちだった。足もとにはキャンヴァスのバッグがひとつ置かれている。

シャベスは師《メンター》の顔に汗がにじんでいるのに気づいた。クラークは痛みに耐えているのだ。そうにちがいない。それでもクラークはこの一週間、愚痴ひとつこぼさなかった。シャベスは訊《き》いた。「やれますか、ジョン？」

クラークはうなずいた。「やってみせる」

そして今度は、ベッドから立ち上がったサム・ドリスコルに手を差し出した。ドリスコルはデニムのジャケットにジーンズという服装だったが、膝当て《ニーパッド》と肘当て《エルボーパッド》をもつけていて、ベッド上のいままで座っていたところのそばには、衝撃吸収材入りの黒いオートバイ用フルフェイス・ヘルメットが横向きに載っていた。

「ミスターC」ドリスコルは敬意を込めてクラークのニックネームを口にした。

クラークは訊いた。「〝蠅《はえ》たたき〟の準備はできているか？」

「ばっちりできています」

「角度がすべてだ。最適な角度で突っ込み、あとは勢いにまかせろ」

ドリスコルが黙ってうなずいたとき、またしても稲妻が室内を照らし出した。

クラークはジャック・ライアン・ジュニアのところまで歩いていった。ジャックは頭のてっぺんから爪先《つまさき》まで黒ずくめだった。コットンのズボンにプルオーヴァーのセーター。ニットの目出し帽は、いまのところまだ頭まで巻き上げてあるので、シャベスがかぶっているようなウオッチ・キャップにしか見えない。そして靴は黒い室内履きのように見える底の柔らかいもの。

クラークは握手をしながら、「グッド・ラック、ジュニア」と二七歳のライアンに言った。

「うまくやります」

「わかっている」

最後にクラークはベッドをぐるりとまわって、またしても左手を差し出し、ドミニク・カルーソーと握手した。ドミニクは赤と金のサッカー・ジャージを着ていて、きらびやかな金のクラブマフラーを巻いていた。マフラーにはGalatasaray（ガラタサライ）という鮮やかな赤文字がくっきり浮き上がっている。イスタンブールを本拠地とするクラブチームの名だ。彼の衣装はまわりの者たちの地味な服装のなかではずいぶん目立ったが、顔色のほうはその派手な色とは比べものにならないほど青白かった。

厳しい表情でドミニクは言った。「ブライアンは血を分けた兄だったのです、ジョン。だから、何も言われなくても——」

クラークはドミニクの言葉をさえぎって返した。「前にも言ったはずだ。そういうことではない」

「ええ、でも——」

「いいか、よく聞け、ターゲット五人がここトルコのイスタンブールで何をしているのかは正確にはわからないが、今日の作戦は単なるきみの兄の敵討ちではなく、それをはるかに超えるものだ。それでも……今日おれたちはみな、ブライアンの兄弟でもある。その点はみないっしょだ」

「ええ、わかっています。しかし——」

「与えられた任務に集中しろ。それだけにな。今夜の作戦の意義は全員が承知しているはずだ。ターゲットのＪＳＯ野郎どもは、ブライアン殺害のほかにも、自国民とアメリカに対する犯罪をいろいろおかしてきた。そしていまも、その動きから、良からぬことをやっているのは明らかだ。それなのに、だれもやつらの活動を食い止めようとしない。だからおれたちがやつらの動きを停止させる」

ドミニクはぼんやりとうなずいた。

クラークは付け足した。「くそ野郎どもは当然の報いを受けるのだ」

「わかっています」

「うまく任務をこなせるか？」

若者は挑むように鬚《ひげ》におおわれた顎《あご》をぐいと上げた。そしてクラークの目をじっと見つめ、きっぱりと言った。「もちろん」

その決然たる答えを受けてジョン・クラークは、包帯をしていないほうの手でブリーフケースをつかみ上げると、それ以上ひとことも発せずに部屋から出ていった。

残された四人のアメリカ人は、腕時計に目をやってから、何も言わずに思い思いの場所に立つか座り、無言のまま、窓ガラスをたたく雨の音に耳をかたむけた。

2

アメリカ人たちがターゲット1《ワン》と命名した男は、ミーマル・ハイレティン地区にあるメイ・ホテルの前の歩道に広がるカフェのいつものビストロ・テーブルについていた。ほぼ毎晩、つまり荒天で店が閉まっているとき以外はいつも、彼はここに寄って、冷えた発泡水で割ったラキを一杯か二杯、楽しむことにしていた。今夜は生憎《あいにく》ひどい雨降りではあったが、ホテルの従業員が歩道のテーブルの上に大きな天幕を張り出したので、彼は濡《ぬ》れずに座っていられた。

天幕の下に座っている客はわずかしかいなかった。いずれもカップルで、タバコを喫《す》いながら飲みものを楽しんでいる。飲み終わったら、ホテルの部屋にもどるか、さらに夜遊びをしに旧市街のどこかへ赴くつもりなのだろう。

ターゲット1は夜にこの店でやる一、二杯のラキを生きがいにするようになっていた。ラキはブドウの搾《しぼ》りかすから造られる無色透明の蒸留酒で、アニスで香りづけされているため、水で割るとミルクのように白濁する。むろんアルコール飲料だから、祖国リビアをはじめ、寛容で近代的とされるハナフィー派の支配下にないイスラムの国々では、飲むことは禁止されている。だがターゲット1は、JSO（ジャマーヒリーヤ保安機構）のスパイをしていたとき、海外での活動中に偽装のために必要に迫られて酒を飲むことがときどきあった。そしていま、追われる身となり、酒による軽い酔いに頼るようになってしまっていた。酔えば、ストレスからすこしは解放されるし、眠りやすくもなるのだ。ただ、言うまでもないが、酒への依存や酩酊《めいてい》は寛容なハナフィー派でさえ許してはいない。

彼のテーブルから一〇フィート（約三メートル）しか離れていない石畳の車道を行きかう車はほんのわずかしかなかった。その道は幹線道路などというものではまったくなく、晴れた週末の夜だって車であふれるということはない。だが、すぐそばの歩道を歩く者たちはいくらかいて、ターゲット1は傘をさして通り過ぎるイスタンブールの魅力的な女たちをながめて楽しんでいた。そうやって歩道のカフェの椅子《いす》に座ってセクシーな女たちの脚をときどきながめていると、ラキの心地よい酔いも手伝って、雨の夜もおつなものに思え、気分が浮き立ってきた。

午後九時、サム・ドリスコルは、シルヴァーのフィアット・リネアを冷静かつ慎重に運転して、まわりの地区からイスタンブール旧市街へと流入する夜の車の流れに乗って走っていた。

街の灯が濡れたフロントガラス上できらめいている。旧市街の奥へと進めば進むほど、交通量は少なくなっていく。アメリカ人は赤信号で車をとめ、マジックテープでダッシュボードに留めたGPSロケイターにちらっと目をやった。そうやってターゲットまでの距離を確認するや、助手席に手を伸ばし、オートバイ用フルフェイス・ヘルメットを鷲掴《わしづか》みにした。そして信号が青になると、大きく首をまわして気持ちを落ち着けてから、衝撃吸収材入りヘルメットをすっぽりかぶり、バイザーを下ろして目をおおった。

彼はこれから起こることを思い、顔をしかめた。どうしてもそういう表情になってしまう。任務遂行に向けて、心臓は高鳴り、脳のほぼ全シナプスが熱く興奮してはいたものの、首を振って愚痴りたい気分は消えない。

兵士として、工作員として、汚い仕事もずいぶんとこなしてきたが、こんなことをするのは初めてなのだ。

「くそいまいましい〝蠅《はえ》たたき〟め」

リビア人がその夜二杯目のラキの最初のひとくちを喉《のど》に流しこんだとき、シルヴァーのフィアットがかなりのスピードで通りを走ってきた。彼の八〇ヤードほど北だった。そのときターゲット1は別の方向を見ていた。左手で赤い傘をさし、右手には小型犬ミニチュア・シュナウザーの紐《リーシュ》をにぎって、歩道を通り過ぎようとする美しいトルコ娘を見ていたのだ。リビア人は椅子に座っていたので、若い女の細くて長い引き締まった脚をしっかり観賞できた。

だが、左から叫び声があがり、リビア人は注意を自分の真ん前の交差点へ向けた。シルヴァーのフィアットが見えた。信号を無視して猛然と突っ込んでくる。あまりの速さにぼやけて見えた。急加速して静かな通りを疾走してくる4《フォー》ドアを男は見つめた。

猛スピードで通り過ぎるのだろうと思った。

だからラキのグラスを口へ運んだ。心配などしていなかった。

が、突然、車が左へ急カーブを切り、濡れたタイヤが金切り声をあげるにおよんで、リビア人は目を剝《む》き、飛び込んでくる車のフロントグリルを凝視した。

ターゲット1はぎょっとし、小さなグラスを持ったまま反射的に立ち上がった。だが、両足が歩道に張り付いたまま動かない。逃げ場などもうなかった。

ミニチュア・シュナウザーを散歩させていた女が悲鳴をあげた。

シルヴァーのフィアットはビストロ・テーブルのそばに立つリビア人に激突し、男を凄《すさ》まじい力で撥《は》ね飛ばしてメイ・ホテルの煉瓦《れんが》壁にたたきつけた。男の上半身は車のフロントと壁のあいだに挟まれて押しつぶされ、下半身は車の下にもぐりこんだ。リビア人の胸郭が砕け散り、肋骨《ろっこつ》や胸骨の破片が生命維持に不可欠な重要臓器を突き破って、まるでショットガンで撃たれたような状態となった。

カフェや近くの歩道にいた目撃者たちはのちに次のように語った――運転席には黒いフルフェイス・ヘルメットをかぶった男が座っていて、すこしもあわてず、落ち着いて車をバックさせた。バックミラーで後方をチェックすることも忘れず、バックで交差点にもどると、北へ走り去った。何事もなかったかのような、ごくふつうの運転ぶりで、日曜日にスーパーマーケットの駐車場に乗り入れたはいいが、財布を持ってくるのを忘れたことに気づき、家へ取りにもどっていった、という感じだった。

暗殺現場の一キロ南東で、サム・ドリスコルはある家の私有車道にフィアットの4《フォー》ドアをとめた。小型ファミリーカーのボンネットはまがり、フロントグリルとバンパーはへこみ、裂けていたが、ドリスコルは車を頭から突っ込んでとめたので、そうした破損個所は通りからは見えなかった。彼は車から降りると、チェーンでつながれている近くのスクーターまで歩いていった。鍵《かぎ》でチェーンロックをはずして雨の夜のなかへと走り去る前に、無線モードにされた音声データ暗号化機能付き携帯電話で短いメッセージを仲間に伝えた。

「ターゲット1《ワン》、排除《ダウン》。サムは安全《クリア》」

イスタンブールにあるチュラーン宮殿は、長い衰退期のまっただなかにあったオスマン帝国を治めた第三二代皇帝《スルタン》アブデュルアズィズの私邸として、一八六〇年代に建造された贅《ぜい》を尽くした建造物である。アブデュルアズィズは、浪費によって国家を破産状態にしたこともあって、廃位に追いこまれ、よりによって鋏《はさみ》で自殺するよう〝教《きょう》唆《さ》〟された。

失脚の原因となったアブデュルアズィズの浪費をチュラーン宮殿ほど雄弁に物語るものはない。現在、宮殿は五つ星ホテルになっていて、きれいに刈りこまれた芝生と水晶のように澄みきったプールが、建物の正面からボスポラス海峡の西の岸辺まで延びている。その海峡は言わずと知れた「ヨーロッパとアジアを分かつ水路」だ。

チュラーン宮殿の一階にあるレストラン『トゥーラ』は、天井の高い壮麗な複数の部屋からなり、窓からはホテルの敷地だけでなく、その向こうの海峡まで見渡せる。今夜のように雨の降りやまぬ火曜の夜でも、海峡を通過するクルーザーの明るいライトが見え、テーブルでディナーをとる人々の目を楽しませる。

そこで極上の料理を賞味する客の多くは金持ちの旅行者だが、世界のさまざまな国から仕事でイスタンブールを訪れて一人または何人かのグループでこのレストランで食事をするビジネスマンやビジネスウーマンも、かなりの数にのぼる。

だから、クリスタルグラス、高級磁器《ファインボーンチャイナ》、金メッキ仕上げの食器で飾られたテーブルに向かい、いま一人きりでディナーをとっているジョン・クラークは、その場にしっかり溶けこんでいた。そこは入口近くにある小テーブル、海峡を見渡せる大窓からはだいぶ離れている。そしてそこを受け持つウエイターは、黒のタキシードに身をつつむハンサムな中年の男。そのウエイターが豪華な料理を運んできた。客のアメリカ人は食事を楽しんでいないとは言えないものの、彼の注意はかなり離れたテーブルに釘《くぎ》づけになっていた。

クラークが鮟鱇《あんこう》の柔らかな身の最初のひとくちを味わった直後、給仕長が高価なスーツを着こんだ三人のアラブ人を窓際《まどぎわ》のテーブルに案内し、そのあとウエイターが食前酒の注文をとった。

三人のうち二人はホテルの宿泊客だった。現地チームの監視・偵察と〈ザ・キャンパス〉本部の情報分析員たちの懸命な調査によって、クラークはそのことを知っていた。彼らはオマーンの銀行家で、クラークにはまったく興味のない者たちだった。もうひとりの男、白髪まじりの髪にきちんと手入れした顎鬚《あごひげ》という五〇歳になるリビア人こそ、ジョン・クラークが関心をいだく人物だった。

その男がターゲット2《ツー》なのだ。

クラークは右利《き》きだったが、負傷して以来、左手で食事することを学ばざるをえず、いまも利き手ではないほうの手でフォークを動かして食べている。そしてそうしながら、右耳にはめた肌色の超小型集音器を通して、アラブ人たちの声を拾おうとしていた。レストランにはほかの客もいたから、彼らの声だけ聞き分けるのは難しかったが、二、三分もするとターゲット2の言葉を聞き取ることができるようになった。

クラークは鮟鱇の料理に注意をもどし、待った。

数分後、ウエイターが窓際のアラブ人たちのテーブルに近づき、料理の注文をとった。クラークはターゲットが発した「仔牛《こうし》のキュルバストゥ」という言葉を聞き取った。ほかの二人は別の料理を注文した。

ラッキーだった。オマーン人たちがリビア人の会食者と同じ料理を頼んだら、作戦をプランBに切り換えなければならなくなるところだったのである。そしてプランBは「通りでの排除」だ。外の通りで殺《や》るとなると、対処すべき未知の要素がここ『トゥーラ』で殺るよりもずっと増えてしまう。

だが、三人はそれぞれ別の主菜を注文した。クラークは心のなかでこの幸運に感謝し、手早く耳からイヤホンをはずして、もとどおりポケットのなかに滑りこませた。

クラークが食後のポルト・ワインを飲みはじめると、ターゲットのテーブルに冷製スープと白ワインが運ばれてきた。アメリカ人は腕時計に目をやらないように注意していた。作戦は正確なタイムテーブルにそって遂行する必要があったが、不安や苛立《いらだ》ちを表情や仕種《しぐさ》に出しては絶対にいけないことくらい、クラークにもわかっていた。だから彼はポルトを飲みながら頭のなかで分数をカウントした。

じきにスープ皿がアラブ人たちのテーブルから片づけられるという頃合いを見計らって、クラークはウエイターに男子トイレの場所を尋ねた。そして、厨房《ちゅうぼう》の出入り口の向こうだと教えられた。トイレに入るとクラークは、するりと個室に入って便座に座り、前腕に巻かれた包帯を手際よくほどきはじめた。

包帯はまやかしではなかった。手の傷は本物であり、いまもひどく痛む。数カ月前、手をハンマーで打ち砕かれたのだ。それからこれまでのあいだに骨と関節を修復する手術を三度受けたが、負傷の日以来まともに眠れたことは一度もない。

だが、そのように包帯は必要なものではあっても、他の目的に利用することもできた。厚く巻かれた包帯の下、人差し指と中指を固定する二本の副木《そえぎ》のあいだに、クラークは小さな注射器を忍ばせていた。しかも、親指だけで、その細い先端部を包帯の外に押し出し、針をおおうキャップをはずせる位置にそれはあった。つまり瞬時に注射器の針をターゲットに突き刺せるようになっていた。

だがそれはプランB、できれば避けたい作戦だ。だからジョン・クラークはプランAを決行することにした。

彼は注射器をはずしてポケットのなかに滑りこませると、ゆっくり慎重に左手を動かし、右手をふたたび包帯でしっかりとおおった。

注射器のなかには毒薬になる筋弛緩《しかん》剤スクシニルコリンの異性体二〇〇ミリグラムが入っていた。プラスチック注射器中にそれだけの量があれば、ターゲットへの皮下注射のほか、口から摂取させるという方法も可能になる。むろん、この毒薬の場合も、皮下注射のほうがはるかに効果的だが、いずれの方法でもターゲットを殺害できる。

クラークは注射器を左手に隠してトイレから出ていった。

タイミングは完璧《かんぺき》とは言えなかった。自分がトイレから出て厨房の出入り口の前を通過するときに、ターゲットのウエイターが主菜を持って出てくるのをクラークは期待していたのだが、通路にはだれもいなかった。だから彼は、通路の壁にかかる絵画を鑑賞しているふりをし、次いで天井と壁の境目のモールディングに施された華麗な金色の装飾をながめているふりをした。ようやくウエイターがドームカバー付きの料理をたくさん載せた盆《トレー》を肩にかついであらわれた。クラークはダイニングルームへ向かおうとするウエイターの行く手をさえぎり、盆をそばのトレー・スタンドにおいて料理長を連れてくるよう求めた。ウエイターは内心むっとしたが、なんとか不満を隠して慇懃《いんぎん》に接し、言われたとおりのことをした。

ウエイターがスイングドアの向こうに姿を消すと、クラークは素早く蓋《ふた》をとって料理をチェックし、仔牛のキュルバストゥを見つけ、薄い肉の中央に注射器の針を刺して毒液を注入した。ソースのなかに透明の泡がいくつか浮かび上がったが、毒の大部分は仔牛肉のなかに浸《し》みこんでしまった。

すぐに料理長がやってきたが、そのときにはもうクラークは料理にもとどおりドームカバーをかぶせ、注射器をポケットに入れてしまっていた。彼は「絶品だった」などとディナーへの大層な褒め言葉を口にして料理長に感謝し、ウエイターは料理を冷めさせて客に突き返されてはたまらないので、急いで盆をテーブルまで運んでいった。

数分後、クラークは支払いをすませ、席を立った。担当のウエイターがレインコートを持ってきてくれ、クラークはそれに腕を通しながらターゲット2をちらっと見やった。リビア人はちょうど仔牛のキュルバストゥの最後のひとくちを食べ終えるところだった。男は同席のオマーン人たちと何やら話しこんでいた。

クラークがレストランからホテルのロビーに出ていったとき、背後ではターゲット2がネクタイをゆるめた。

二〇分後、六五歳になるアメリカ人は、レストラン『トゥーラ』のある最高級ホテル、チュラーン・パレス・ケンピンスキー・イスタンブールとは通りひとつ隔てただけのイスタンブール大都市《ビュユックシェヒール・ベレディエシ》公園に傘をさして立ち、ホテルの入口に猛スピードで向かう救急車をながめていた。

その毒には人間を死に至らしめる力があった。地球上のどんな救急車の薬箱にも、それへの解毒《げどく》剤は入っていない。

ターゲット2はすでに死んだか、まもなく死ぬ。医者には心不全で心拍が停止したように見えるから、その不幸だが完全に自然なことが起きた時刻に、たまたまそばで食事をしていた『トゥーラ』の他の客たちが調べられるということはまずない。

クラークは体を右にまわし、五〇ヤード西にあるミュヴェッジ通りに向かって歩きはじめた。そしてその通りでタクシーを拾い、運転手に空港に行くよう告げた。荷物などなかった。持ち物は傘一本に携帯電話一台だけ。タクシーが夜のなかへと走りだしたとき、クラークはプッシュ・トゥー・トーク（PTT）キーを押して携帯をトランシーヴァー・モードにした。「2を排除《ツー・イズ・ダウン》。おれは安全《アイ・アム・クリア》」小声でそっと言うと、通話を切り、左手で携帯をレインコートの下に滑りこませ、スーツの上着の胸ポケットに入れた。

ドミンゴ・〝ディング〟・シャベスは、ドリスコルから、次いでクラークから任務完遂の連絡を受け、今度は自分が作戦全体のなかで割り振られた役割を果たすことに全神経を集中させていた。彼はいま、ボスポラス海峡のヨーロッパ側のカラキョイとアジア側のユスキュダルを結ぶ古い国有連絡船の座席にひとりで座っている。それはかなり大きな船で、船室にいる彼の両側にならぶ赤い木製のベンチシートは男女の客でいっぱいだった。彼らは海峡の波に体を揺らしながら、ゆっくりと、だが確実に対岸の目的地へ向かっていた。

シャベスのターゲットは、これまでの監視で予測できたように、連れはなく、ひとりだった。フェリーはわずか四〇分で向こう岸に着いてしまう。シャベスはそのあいだにこの船のなかで自分のターゲットを仕留めなければならない。さもないと、ターゲットがだれかしらから連絡を受けて仲間のひとりが殺されたことを知り、身を護《まも》る防衛措置をとりかねない。

ターゲット3《スリー》は胸板の厚いがっしりした体軀《たいく》の三五歳の男だった。男は窓際のベンチシートに座ってしばらく本を読んでいたが、一五分もするとタバコを喫《す》いにデッキに上がった。

シャベスは素早く目で広い客室をチェックし、出ていったリビア人に注意を払う者がひとりもいないことを確認してから席を立ち、別のドアから外に出ていった。

雨脚はいっこうに衰えず、低く垂れこめた雲が月光をさえぎり、天からはかすかな光さえ洩《も》れてこない。シャベスは細い下甲板にそって並ぶライトがつくる長い影のなかにできるだけ入るようにして進んでいった。そうやってターゲットから船尾のほうへ五〇フィートほど離れたところの手すりへ向かい、その薄暗い場所に達すると、たたずみ、岸辺のまたたく光と移動しつづける暗闇《くらやみ》を見やった。ちょうどそのとき一隻《せき》の双胴船《カタマラン》が岸辺の灯をさえぎってガラタ橋をくぐり抜けていった。

シャベスは目のすみでタバコを喫っているターゲットを捉《とら》えた。手すりの近くだ。下甲板にいれば、上甲板のおかげで雨に濡れずにすむ。手すりのそばに立つ男があと二人いたが、何日もターゲットを尾行しつづけてきたシャベスは、リビア人がしばらくあそこでぐずぐずすることを知っていた。案の定、ほかの男たちが先に客室のなかにもどっていった。

シャベスは暗がりのなかで待った。

シャベスはゆっくりと背後からターゲットに近づきはじめた。

ターゲット3はPERSEC（個《パーソナル》人セキュリティ）をなおざりにするようになっていたが、リビアの情報機関員として、そしてフリーランスのスパイとして、これまでなんとかやってこられたのだから、馬鹿《ばか》ではない。だからいまも警戒している。シャベスはターゲットに近づくために甲板のライトの前を通り過ぎなければならず、そのとき男は動く影に気づき、はっとしてタバコを投げ棄《す》て、クルッと振り向いた。男の手が上着のポケットに滑りこんだ。

シャベスはターゲットに突進した。電光石火の三歩で瞬時に手すりのはしに達し、左手を勢いよく突き出して、武器を引き抜こうとした大男のリビア人の手を押さえこんだ。同時に右手で黒い革製の棍棒《こんぼう》を男の左のこめかみに力いっぱいたたきつけた。バシッという大きな音がしてターゲット3の意識が吹っ飛んだ。男は手すりとシャベスのあいだに崩れ落ちた。

アメリカ人は棍棒をポケットにもどし、顎の下に腕を差しこんで失神した男をぐいと引き上げた。素早くあたりを見まわし、近くにだれもいないことを確かめると、両手でターゲットの首を荒っぽく一気にひねり、へし折った。そしてもういちど下甲板の左右に目をやって目撃者がひとりもいないことを確認してから、リビア人の体を引っぱり上げて手すりの向こう側に押しやり、舷側《げんそく》から落とした。死体は夜の闇のなかに消えた。水しぶきの音は、海の音とフェリーのエンジンがあげる轟音《ごうおん》にほとんど掻《か》き消され、かすかにしか聞こえなかった。

二、三分後にはドミンゴ・〝ディング〟・シャベスは客室にもどり、赤いベンチシートの別の席に座った。そして携帯を使って短いメッセージを仲間に手早く伝えた。

「3を排除《スリー・イズ・ダウン》。ディングは安全《クリア》」

まだ新しいチュルク・テレコム・アリーナは五万二〇〇〇人以上もの観客を収容できるが、そこをホームスタジアムとする地元イスタンブールのサッカー・チーム、ガラタサライが試合をするときは、文字どおり満員となる。今夜は雨降りだったが、このスタジアムにはフィールドの上だけあいている屋根があるので、スタンドを埋めつくす大観衆は濡れずにすんでいた。

今夜は同じイスタンブールのライバル・チーム、ベシクタシュJKとの対戦で、スタンドは市民であふれかえっていたが、そのなかに紛れこんだひとりの外国人は、フィールド上のプレーにはあまり目をやらなかった。サッカーというスポーツについてはほとんど何も知らないドミニク・カルーソーが注意を集中させて見守っていたのは、知り合いのトルコ人たちのグループとこの試合を観戦しにきた三一歳になる顎鬚をたくわえたリビア人、ターゲット4《フォー》だった。ドミニクはターゲットの数列上のシートにひとりで座っていた男に金を払って席を交換してもらい、いまこうやってリビア人がよく見えるとともに上の出口へも素早く行ける位置でチャンスが到来するのを待っていた。

試合の前半は、まわりの観衆が歓声をあげるときに歓声をあげ、彼らが立ち上がるときに立ち上がることくらいしか、やることはなかった。つまりドミニクはほぼ絶え間なく、歓声をあげ、立ち上がる、ということを繰り返しつづけた。ハーフタイムになって、サッカー狂の観客たちが売店やトイレへ向かい、シートはほとんど空っぽになってしまったが、ターゲット4とその仲間の大半は席にとどまったので、ドミニクもそうした。

後半開始直後に、劣勢にあったガラタサライがゴールを決め、観衆は大いに盛り上がった。そのあとすぐ、後半の残り時間三五分というときに、リビア人が携帯に目をやり、横を向いて席から離れ、階段のほうへ向かった。

ドミニクは反射的に行動を起こし、ターゲットよりも先に階段を早足でのぼり、いちばん近いトイレへ急行した。そしてその出入り口のそばに立ち、ターゲットが来るのを待った。

三〇秒もしないうちにターゲット4はトイレのなかに入った。ドミニクは上着のポケットから白い紙を手際よくサッととりだし、トイレの出口にテープで貼《は》りつけた。そこにはkapali《カパル》と書かれていた。「閉《クローズド》」という意味のトルコ語だ。ドミニクは同じように書かれた紙をもう一枚とりだし、入口のドアにも貼った。そしてトイレのなかに入り、ドアを閉めた。

ターゲット4はたくさん並んだ小便器のひとつに向かっていた。ほかに用を足している男が二人いる。その二人はいっしょに来たようで、すぐに手を洗い、ドアから出ていった。ドミニクはターゲットから四つ目の便器まで歩き、その前に立つと、上着の下に手を差し入れ、ズボンの前につけていた短剣を引き抜いた。

ターゲット4はズボンの前のチャックを引き上げ、一歩後退して体の向きを変え、手洗い場のほうへ歩きはじめた。だが、ガラタサライのジャージとマフラーを身につけた男のそばを通り過ぎようとしたとき、男が不意に体をまわしてぶつかってきた。リビア人は胃のあたりに何かがドスッと当たる感覚をおぼえた。次の瞬間、その見知らぬ男に激しく突かれ、そのままトイレの奥に並ぶ個室のひとつのなかへと押しやられた。リビア人はポケットのなかのナイフをつかみだそうとしたが、襲撃者の凄まじい力になす術《すべ》なく、足がもつれ、勢いよく後退することしかできなかった。

二人の男はひとかたまりになって個室のなかに突っ込み、便器の上に倒れこんだ。そのときようやく、まだ若いリビア人はパンチを食らったような衝撃を受けた胃のあたりを見下ろした。そこから何かが突き出している。短剣の柄《つか》だった。

リビア人はパニックにおちいった。次いで自分の体から力が一気に抜けていくのを感じた。

襲撃者はターゲットを便器のわきの床に押し倒すと、おおいかぶさるようにしてリビア人の耳に口を近づけ、言った。「わが兄、ブライアン・カルーソーの敵討ちだ。兄はリビアでおまえらの仲間に殺された。今宵、おまえら全員に命で償ってもらう。ひとり残らず殺してやる」

ターゲット4はわけがわからず目を細めた。リビア人は英語を話せたので、言われたことは理解できた。だが、ブライアンという名の男なんてひとりも知らない。彼はたくさんの男を殺してきた。リビアでも殺《や》ったことがある。しかし、殺したのはリビア人、ユダヤ人、反逆者。カダフィ大佐の敵ばかりだ。

アメリカ人を殺したことなんて一度もない。彼はこのガラタサライ・ファンが何を言っているのかさっぱりわからなかった。

ターゲット4は競技場のトイレの便器のわきにだらりと横たわった。これはすべて何かの間違いにちがいない、なんというふざけた大間違いだ！　リビア人はそう思いながら息絶えた。

ドミニクは血に濡《ぬ》れたサッカー・ジャージをぬぎ、白いTシャツ姿になった。そのTシャツも剝《は》ぎとる。すると別のジャージがあらわれた。それはライバル・チームのものだった。黒と白の太い縦縞《たてじま》のベシクタシュJKのジャージ。これを着ていれば、ガラタサライの赤と金のジャージを着ていたときと同じように群衆のなかに紛れこめる。

ドミニクはぬいだTシャツとガラタサライのジャージをズボンのウエストバンドの内側に詰めこむと、ポケットから黒い縁なし帽を引っぱり出し、かぶった。

そして、もうほんのすこしのあいだ、死体のそばに立ち、ターゲット4を見下ろした。めらめらと燃え上がった復讐《ふくしゅう》の炎を抑えきれず、死体に唾《つば》を吐きかけたくなったが、噴出しようとするその衝動を堰《せ》きとめようとした。暗殺現場に自分のＤＮＡを残すのは愚かだと知っていたからだ。ドミニクはなんとか自分を制し、クルッと死体に背を向けると、トイレから出て、kapali と書かれた紙を二枚ともドアから引き剝がし、スタジアムの出入り口へと向かった。

出入り口の回転バーを通り抜け、スタジアムの屋根の下から土砂降りの雨のなかへと歩み出たところで、作業ズボンのサイド・ポケットから携帯をとりだした。

「ターゲット4《フォー》、排除《エリミネイティッド》した。ドムは安全《クリア》。楽勝《イージー・マネー》だった」

3

ジャック・ライアン・ジュニアが排除することになっていたのは、不明点がいちばん少ない難易度最低のターゲットだった。ひとりきりでマンションの机に向かって座っている男。監視ではそういう結論だった。

そのターゲットの排除は今夜の作戦ではいちばんたやすい任務となるはずで、ジャック・ジュニアもそれを理解していた。むろん、自分がまだ工作員序列《トーテムポール》の最下位にいるという純然たる事実のために、この任務を割り当てられたのだということも、よくわかっていた。たしかにジャックも世界各地で実行された危険度の高い秘密作戦に参加してきてはいたが、仲間の他の四人の工作員たちよりはまだまだ経験は浅い。

初めジャックは、チュラーン宮殿でターゲット2《ツー》を片づける任務をさせられることになっていた。肉の切り身に毒をかけるのがその夜の作戦ではいちばん簡単だろうと判定されたからだ。しかし、結局はクラークがその任務を引き受けることになった。六五歳の男なら、ひとりで五つ星のレストランで食事していても奇異な感じはまったくない。だが、大学を出てまだ二、三年にしかならないような西洋人の若造が、ひとりきりでそんな高級レストランでディナーをとるとなると、当然、従業員の興味をそそる。ありそうもないことだったが、万が一あとで警察が、客が死んだときのことを訊《き》きにきたら、そういえばいくつか離れたテーブルにひとりでディナーをとっていた若者がいたと、だれかが思い出しかねない。

だからジャック・ジュニアは、ターゲット5《ファイヴ》を斃《たお》す任務を受け持つことになった。そいつは元JSO（ジャマーヒリーヤ保安機構）細胞メンバーの通信専門家、名前はエマド・カルタル。朝飯前の仕事とは決して言えないが、ジャックならできる、と〈ザ・キャンパス〉の同僚たちは判断した。

カルタルはほぼ毎晩、コンピューターに向かう。結局はその習癖が、元JSO細胞のセキュリティを危うくしたのだ。六週間前、カルタルはあるメッセージをリビアの友人に送り、その暗号化されたメッセージがリビアの新情報組織によって傍受、解読され、さらにその情報《インテリジェンス》をアメリカのジャックら〈ザ・キャンパス〉の分析員たちが傍受してしまったのである。

そして〈ザ・キャンパス〉の分析員たちは、カルタルの携帯電話にも侵入してヴォイス・メールを聞き、この男を含む元JSO細胞のセキュリティを一段と脆弱《ぜいじゃく》なものにした。そうやってメンバー間の音声によるやりとりに耳をかたむけ、彼らがいまだにいっしょに活動していることも知った。

　午後一一時、ジャック・ライアン・ジュニアは、自分が所属する民間秘密情報組織の技術専門家《グル》たちがつくった偽造カードキーを使って、ターゲットが住むマンションの建物のなかに入りこんだ。その建物はタクシム地区にあり、そこからは五〇〇年前に建造されたジハンギル・モスクも見える。高級住宅地にあるやや高級な建物ではあるが、部屋そのものはワンルーム・マンションで、一階につき八部屋という余裕のない詰め過ぎの造りになっている。ジャックのターゲットの部屋は、三階、つまり五階建ての建物のちょうど真ん中にあった。

　ジャックが受けた暗殺指令は簡潔なものだった。すなわち、ターゲット5の部屋に侵入し、当人であることを目視確認してから、減音器《サプレッサー》装着22口径拳銃《けんじゅう》で亜音速弾を三発、胸か頭に撃ちこめ。

　ジャックは底の柔らかい靴で木製の階段をのぼり、そうしながら黒のコットンの目出し帽を引き下げ、顔をおおい隠した。今夜、目出し帽をかぶって任務を遂行するのは彼だけだった。チームの残りの者たちはみな、人前で行動するので、目出し帽などかぶっていたらかえって人目を引いて危険、ということだ。

若いアメリカ人は三階までのぼり、明るく照らされた廊下に入った。ターゲットの部屋は左側の三つ目。ほかの部屋の前を通り過ぎるとき、話し声、テレビやラジオの音、電話している声が聞こえてきた。壁が薄いのだ。それは好ましいことではなかったが、同じ階の住民たちがみずから何らかの騒音を立てているということではあった。サプレッサーと〝通常弾よりも発砲音が小さい〟亜音速弾が宣伝文句どおりに働くことをジャックは祈った。

ターゲットの部屋のドアの前に立った。部屋のなかからラップ・ミュージックが聞こえてくる。これはありがたいことだった。ターゲットに近づいていくさいに立つ音をかなりのていど掻《か》き消してくれる。

ドアは施錠《せじょう》されていたが、ジャックは解錠《ピッキング》教育をクラークから受けていた。初めターゲット5の排除を受け持つことになっていたクラークは、チーム最年少のメンバーと任務交換をする前、一週間にわたるターゲット監視・偵察中に、四度もこの建物のなかに侵入し、留守の部屋の錠をいくつも開けることに成功していた。錠は古いタイプのもので、開けるのはたいして難しくなかった。そこで彼は同様のモデルの錠を近くのホームセンターで買い、手早く静かにピッキングする方法を一晩使ってジャックに伝授した。

クラークの指導は奏功した。ジャックは金属を金属で軽く引っ掻くかすかな音を立てただけで、二〇秒もしないうちにドアの錠をはずしてしまった。彼はひざまずいたまま拳銃を引き抜き、立ち上がった。そしてドアを引き開けた。

部屋のなかは予想したとおりだった。小さなキッチンの向こうに居間空間《リヴィング・エリア》があり、その奥の壁に向かって机がひとつ置かれている。そしてその机の手前の椅子《いす》に、男がひとり、ジャックに背を向けて座っている。男が向かう机の上には、大きな薄型コンピューター・モニターが三台並び、さらにさまざまな周辺機器、本、雑誌などが、手を伸ばせば届くところに載っている。テイクアウトの中華料理が食べかけのまま残る発泡スチロール製容器が入ったビニール袋もある。その隣の武器にもジャックは気づいた。拳銃には詳しい彼にも、エマド・カルタルの右手から一フィートしか離れていないところに横たわるセミオートマチック拳銃の型式はすぐにはわからなかった。

ジャックはキッチンに歩み入り、そっとドアを引いて閉めた。

キッチンはライトに照らされて明るかったが、ターゲットが座っているリヴィング・エリアは明かりが点《とも》されていず、光源はコンピューター・モニターのみで、暗かった。ジャックは左側にある窓をチェックし、通りの向かいのマンションからだれかに見られる心配はないことを確認した。目撃されることはないと知って安心し、さらに数歩前進してターゲットに近づいた。それで部屋の中心で、つまり廊下から可能なかぎり離れた位置から発砲できるようになった。

ビートの効いたラップ・ミュージックが部屋中に響きわたっている。

ジャックが物音を立てたのか？ ターゲットの真ん前にあるパソコン本体のピカピカの表面にジャックの影が落ちたのか？ それともモニター表面のガラスにジャックの姿が映ったのか？ 理由はわからなかったが、元ＪＳＯマンが突然、椅子をうしろに蹴《け》りやって立ち上がり、振り向きざま、必死になってトルコ製ジガナ９ミリ口径セミオートマチックに手を伸ばした。指先で拳銃をつかんで侵入者のほうに向けたが、まだしっかり握れず、引き金に指をかけてもいなかった。

ジャックは頭に刻みこんでおいた監視写真でターゲット５本人であることを確認してから、一発撃った。小さな22口径弾は男の腹にもぐりこんだ。銃口を後頭部にピタッと向けていたのに、男がギョッとして立ち上がったせいでそうなってしまったのだ。リビア人は拳銃を落とし、うしろによろめいて机にもたれかかった。被弾の衝撃でそうなったのではない。それは銃創の激痛から逃れようとする自然な衝動がなさせた動きだ。

ジャックはふたたび発砲した。この弾丸は胸にもぐりこんだ。そしてもう一発。三発目の弾丸は胸筋のあいだのど真ん中、〝死点〟に命中した。男の白いアンダーシャツの真ん中にダークレッドの花が咲いた。

リビア人は胸をつかみ、うめきながら体を回転させ、机の上にうつ伏せに倒れた。だが、両脚がまったく動かなくなり、重力に負けて、元JSO機関員は床に滑り落ち、仰向けに転がった。

ジャックは急いでそこまで前進し、拳銃を上げて〝とどめの一発〟を頭に撃ちこもうとした。が、そうしないほうが賢明だと思いなおした。サプレッサー装着の拳銃だから銃声は抑えられるが、完全に消えるわけではないのだ。それに、ここは住人のいる他の部屋にかこまれている。だからジャックは、一〇人かそこいらの人間に聞かれる可能性がある銃声をもうひとつ立てることなく、片膝《ひざ》をつき、男の頸《けい》動脈に指をあて、ターゲットの死を確認した。

ジャックは立ち去ろうと腰を上げた。が、そのとき、机上のデスクトップ・コンピューターと三台のモニターをちらっと見てしまった。コンピューターのハードディスクドライヴは情報の宝庫のはずだ。分析員でもあるジャックには、すぐ手の届くところにある情報の山よりも魅惑的なものなんてこの世に存在しない。

ターゲットを斃《たお》したら即、何も盗《と》らずに立ち去れ、という任務指令は、残念としか言いようがない。ジャックは数秒間、微動だにせずに突っ立ち、まわりの物音を拾おうと耳を澄ました。

悲鳴も、叫び声も、サイレンも、聞こえない。

だれも銃声を聞かなかったにちがいない、とジャックは確信した。コンピューターのなかを覗《のぞ》けば、リビア人たちがどういう活動をしていたのか知ることができるのではないか? 監視・偵察では、つまらないガラクタ情報しかつかめず、わかったのは、元JSOマンたちは何らかの活動——どうやらイスタンブール以外の地域を本拠地とする犯罪組織《シンジケート》の仕事——をやっているようだ、ということくらいだった。エマド・カルタルのコンピューターのなかを探れば、不明点を埋める情報がたっぷり見つかり、全体像をつかめるのではないか、とジャックは思わずにはいられなかった。

《くそっ》とジャックは心のなかで悪態をついた。麻薬かもしれないし、強制売春かもしれない。あるいは誘拐かも。いま九〇秒ほど使ってやるべきことをやるだけで、救われる命があるはずだ。

ジャック・ライアン・ジュニアは机の前にスッと両膝をつくと、キーボードを引き寄せ、マウスをつかんだ。

手袋をはめていなかったが、指紋のことはまったく心配していなかった。〈ニュー・スキン〉を指先に塗っていたからだ。それは〝液体救急絆創膏《ばんそうこう》〟として使われる粘着性の透明液体で、乾いても無色透明のままだ。手袋をはめると作業がうまくできなかったり場違いに見えたりする状況では、どんな工作員でもこの液体を利用する。

ジャックはコンピューターのなかにあるファイルを呼び出し、いちばん近いモニターにリストにして表示した。モニターにはカルタルの胸から噴出した血が斜めに飛び散っていたので、ジャックはテイクアウトの中華料理の食べ残しが入った袋から汚れた紙ナプキンをつかみだし、モニターの表面をぬぐってきれいにした。

ファイルの多くは暗号化されていた。この場で解読している時間などないとわかっていたので、ジャックは机の上を見まわした。フラッシュメモリが一〇個ほど入ったビニール袋があった。彼はフラッシュメモリをひとつとりだすと、それをコンピューター前面のUSBポートに差しこんで、ファイルのコピーを開始した。

ジャックはターゲット5の電子メール・クライアント（メール・ソフト）をひらき、メールのなかを覗きはじめた。アラビア語のものが多く、トルコ語と思えるものも一通あり、件名もテキストもないものが少数あった。彼は一通ずつひらいていき、添付書類もクリックして見てみた。

イヤホンが囀《さえず》りだした。ジャック・ライアン・ジュニアは人差し指の先でそれを軽くたたいた。「こちらジャック《ゴー・フォー》」

「ライアン？」ドミンゴ・〝ディング〟・シャベスだった。「連絡が遅いぞ。どうなってる？」

「すみません。ちょっと遅れてます。ターゲット5は排除《ダウン》」

「問題があるのか？」

「いいえ《ネガティヴ》」

「安全か《クリア》？」

「まだです。いま対象《サブジェクト》のPCからステキな情報をごっそりいただいているところです。あと三〇秒で終わります」

「やめろ《ネガティヴ》、ライアン。そんなものは置いてこい。ただちにそこから出ろ。きみには何の支援もない」

「了解した《ラジャー・ザット》」

ジャックはメールをチェックするのをやめた。が、そのとき、受信があり、新しいメールがカルタルの受信トレイにあらわれた。ジャックは反射的に添付ファイルをダブルクリックした。と、目の前のモニターのひとつの全面にJPEG画像のサムネイルが格子《こうし》状に広がった。「でも、利用できる情報があるかも?」ジャックはあきらめ悪く、ぼんやり呟《つぶや》きながら、最初のサムネイルを拡大した。

「ぐずぐずするな、おい」

だが、ジャックはもうシャベスの言うことなど聞いていなかった。彼はサムネイルが散らばる画面を、最初速く、次いでゆっくりとスクロールし、画像を凝視した。

手がとまった。

「ライアン? 聞こえているのか?」

「なんてこった《オー・マイ・ゴッド》」思わず声が洩れた。

「どうした?」

「これは……これはおれたちだ。はめられたんだ、ディング」

「えっ、何のことだ?」

目の前のモニター上の画像は防犯カメラで撮られたもののようで、画質はまちまちだったが、不鮮明すぎるものはなく、ジャックには写っている者たちがチームの面々だとわかった。豪華な高級レストランのドア口に立つジョン・クラーク。雨の降りしきる通りをスクーターで走るサム・ドリスコル。競技場の通路と思われる洞窟《どうくつ》のようなところにある回転バーを通り抜けるドミニク・カルーソー。フェリーボートのベンチシートに座って携帯で話しているドミンゴ・シャベス。

すべて今夜撮られた写真だとジャックはすぐに気づいた。そう、すべて、この一時間ほどに撮られた写真。

ジャック・ジュニアは折っていた膝を伸ばして立ち上がった。脚に力が入らず、ふらついた。今夜のイスタンブールでのチームの作戦行動がことごとく監視されていたという事実を知って、ほとんどパニック状態におちいってしまったからだ。と、そのとき、新着メールがもう一通、受信トレイの最上段に浮かび上がった。ジャックは飛びかかるようにしてマウスのポインターをそこに移動させ、メールをひらいた。

そのメールには添付画像がひとつあった。ジャックはダブルクリックしてひらいた。

ひざまずいてキーボードに手をやっている目出し帽の男の写真。目を大きく見ひらいて、写真を撮ったカメラのすぐ下の一点を凝視している。その目出し帽の男のうしろの床に、仰向けに横たわる別の男の片方の脚が写っているのにもジャックは気づいた。足がはっきり見えている。

ジャックはモニターから顔をそらし、肩越しに振り返って、突き出しているターゲット5の足を見やった。

顔を前にもどし、中央のモニターの上端へ目をやった。液晶パネルの枠に小さなカメラが組みこまれていた。

この写真はこの六〇秒のあいだに――おれがデータをコピーしている最中に――撮られたものだ、とジャックは思った。

おれはいまこの瞬間も監視されているのだ。

ジャックが次に何か言うよりも早く、シャベスのけたたましい声が右耳にはめたイヤホンから飛び出した。「ずらかるんだ、ジャック、い、い、いますぐ！　いいか、命令だぞ、これは！」

「はい、もう行きます」ジャックは声を押し殺さざるをえなかった。だが、目は相変わらず超小型のウェブカムのレンズに釘《くぎ》づけになり、頭はいまもカメラの向こうから自分を見つめているのは何者なのかと考えていた。

ジャックはUSBポートに差しこんだメモリに手を伸ばした。が、その瞬間、このままでは仲間と自分の写真はすべてコンピューターに残ってしまうと気づいた。ターゲット5の死亡状況を調べにきた捜査官たちにも簡単に見つかってしまう。

あわてて床に這《は》いつくばい、コンピューターのプラグを引き抜き、半狂乱でデスクトップの背面のケーブルやコードも引きちぎるようにしてはずした。そして三〇ポンドもあるコンピューター本体をぐいと持ち上げると、それを抱きかかえたまま部屋のドアを抜け、階段をおり、外の通りに飛び出した。雨のなかを走った。それは賢明なことであると同時に優れた工作員テクニックでもあった。両腕にコンピューターをかかえた男が雨降りの通りに出れば、ふつうは走る。車は一ブロック離れたところにとめてあった。ジャックはコンピューターをバックシートにどんと降ろすと、車を発進させ、タクシム地区から出て空港へ向かった。

運転しながら〝ディング〟・シャベスを呼び出した。

「こちら《ゴー・フォー》ディング」

「ライアンです。わたしは安全《クリア》。いや……くそっ。われわれは全員、安全《クリア》ではありません。五人とも、今夜、監視されていました」

「だれに？」

「見当もつきません。でも、だれかにわれわれは監視されています。そしてそのだれかが今夜、われわれ五人の画像をターゲット5に送信したんです。画像の入ったデスクトップ・コンピューターを確保しました。二〇分で空港に着きますから、そのあと——」

「やめろ《ネガティヴ》。もしだれかがおれたちを手玉にとっているのなら、きみの車のなかのその電脳箱には盗聴器か発信機が仕掛けられているかもしれんぞ。そんなヤバいものを脱出地点の近くにまで運んでくるんじゃない」

ディングの言うとおりだ。ジャックは素早く考えた。

「ドライバーがついている万能ナイフがあります。どこかの駐車場に車をとめ、ハードディスクドライヴだけをデスクトップからはずします。あとでそのディスクの中身を調べればいい。残りのものはすべてその場に放置します。車もそこに乗り捨てます。わたしが５《ファイヴ》のマンションに行っているあいだに、だれかが何かを車に仕掛けていないともかぎりませんからね。空港へは別の方法で行きます」

「急げ、いいな」

「はい。ライアン、以上《アウト》」

ジャック・ライアン・ジュニアは車を疾走させ、雨のなかを突き抜けていった。道路交通カメラが高みから見下ろす交差点をいくつも通過した。瞬《まばた》きひとつしない目に一挙手一投足を見守られているような気がして気味が悪かった。

4

韋真林《ウェイヂェンリン》はエコノミストとして経済・金融畑を歩いてきた男で、軍務についたことはいちどもなく、それゆえ銃器に手をふれたことさえなかった。その事実がいま彼に重くのしかかっている。デスクマットの上に載っている大きな黒い拳銃《けんじゅう》をながめても、珍しい古代の人工遺物のようにしか見えない。

正確に撃てるだろうか、と韋《ウェイ》は不安になった。いや、自分の頭を撃つのだから、射撃技術なんてたいしていらないのではないか？

彼は自分の警護班長の馮《フォン》から、たったの三〇秒で撃ちかたの手ほどきを受けた。拳銃を貸してくれたのも馮だ。彼は本来なら警護しなければならない韋のために初弾を薬室《チェンバー》に送りこみ、安全装置《セイフティー》をはずしてやった。そのあと元警察官の警護班長は、重々しくもやや恩着せがましい口調で、拳銃の持ちかたと引き金《トリガー》の引きかたを韋に説明した。

ずばりどこを狙《ねら》って撃てば最大の効果を得られるのかと韋が尋ねたとき、ボディーガードが返してよこした答えは、元エコノミストを満足させられるものとは言いがたかった。

馮は肩をすくめてこう答えたのだ――脳を包みこむ頭蓋骨《ずがいこつ》の、ほぼどの部分に銃口を向けても、治療が遅れれば、問題なく所期の目的を達成することができます。そして馮は約束した――治療はわたしが確実に遅れるようにいたしますから、ご安心を、と。

それから警護班長はちょこんとぶっきらぼうにうなずき、韋真林を執務室にひとり残して去った。韋が向かう執務机には拳銃が載ったままだった。

韋はフンと鼻を鳴らした。「立派な警護官になったものだ、馮は」

彼は両手で拳銃を持ち上げた。思ったより重かったが、バランスはとれていた。握り《グリップ》が驚くほど厚い。拳銃というのはこんなにずんぐりしているものだったのかと、握ってみてびっくりした。といっても、これまでに銃器について考えたことなんてほとんどない。

中華人民共和国・国家主席にして中国共産党中央委員会総書記の韋真林は、拳銃を目に近づけると、しばし仔細《しさい》にながめ、単なる好奇心から製造番号や製造会社の刻印を読んだ。そして銃口を右のこめかみに押しあて、人差し指の先を引き金《トリガー》にかけた。

韋《ウェイ》はふつうの状況なら中国の最高指導者になれるような男ではなかった。自殺を決意したのは、かなりのていどそのせいだった。

韋真林《ウェイヂェンリン》が一九五八年に生まれたとき、父親はすでに六〇歳に達していて、中国共産党第八期中央政治局委員一七人のうちのひとりだった。もともとはジャーナリストで、記者も新聞の主筆も経験したが、一九三〇年代に報道の仕事から離れ、中国共産党中央宣伝部に入った。〈長征〉のときは毛沢東《マオツォートン》と行動をともにした。〈長征〉は一九三〇年代半ばに国民党軍に敗れた紅軍（中国共産党軍）が敢行した大規模な迂回《うかい》撤退、徒歩による約八〇〇〇マイル（約一万二九〇〇キロ）にわたる北方への大移動で、それによって毛《マオ》は国民的英雄となって中華人民共和国の指導者としての地位を確立し、取り巻きの多数の人々も快適な未来を手に入れた。

韋の父親のように、革命時にたまたま毛のそばにいた男たちは、ただそれだけで英雄と見なされ、その後五〇年、北京《ペキン》で指導者の地位に就くことができた。

韋真林はそうした特権者の息子として生まれ、北京で育ち、スイスにある富裕特権階級向け全寮制インターナショナル・スクール〈コレージュ・アルパン・アンテルナショナル・ボー・ソレイユ〉に送りこまれた。レマン湖の近くにあるその学校で韋は、中国共産党の他の子供たち──党幹部、人民解放軍元帥《げんすい》、将軍の息子たち──と親交をむすび、北京大学で経済を学ぶために帰国したときにはすでに、同じ全寮制スクールで学ぶ同胞の友人の多くと同様、将来何らかの政府機関に入ることがほとんど決まっていた。

韋は〈太子党〉と呼ばれるようになったグループの一員だった。〈太子党〉とは要するに、党の最高級幹部──大半は革命戦争を戦った高位の毛沢東主義者《マオイスト》──の子女で、中国の政界、軍隊、財界で出世を約束されている〝輝ける新星〟たちであり、その総称だ。上流階級の存在を認めない社会では、この〈太子党〉こそが間違いなくエリート集団であり、彼らだけが大金と権力をつかめ、さらに強力な政治的コネを有しているがゆえに次世代を支配する資格も手に入れられる。

韋は大学を卒業すると、重慶《チョンチン》市の市役所職員となり、副市長補佐まで昇進した。だが、市役所勤務は数年でやめ、南京《ナンキン》大学商学院で経済学の碩士《せきし》（修士）号と企業管理学の博士号を取得、そのあと一九八〇年代後半と九〇年代を経済特区なみの開放開発区である上海《シャンハイ》の国際金融地区で過ごした。経済特区は中国共産党政府によって七〇年代末に初めて設置された〝経済発展を最優先させる特別地域〟で、そこでは海外からの投資促進のために自由市場経済活動が大幅に許され、それを可能にするために多くの国内法の適用が停止されている。疑似資本主義の特別隔離地区をつくるというこの実験は大成功し、大学で経済学を学んだ韋は、ビジネス経験や党とのコネも大いに与《あずか》って、中国の金融発展に貢献した功労者となり、さらなる出世の道もひらけた。

千年紀の変わり目に中国最大の都市、上海の市長に選出されたのだ。そして、海外からの投資と市場経済の拡大をさらに強力に推し進めようとした。

韋は美男でカリスマ性があり、欧米の財界にも人気があったので、新生中国の顔としてその評判は国内だけでなく世界中にも轟《とどろ》いた。しかし彼は、社会秩序は厳しく維持しなければならないという考えの持ち主でもあった。自由といっても、彼が支持したのは経済的自由だけで、個人的自由という点では上海市民もいかなる恩恵もこうむることができなかった。

シベリアの金鉱と油田をめぐる戦争で中国がロシアとアメリカに屈辱的な敗北を喫すると、北京の政府要人のほとんどが失脚し、新生中国の活力あふれる若き旗手となっていた韋は、中央の政治舞台に引っぱり出された。上海市委書記（中国共産党上海市委員会書記）になり、第一六期中国共産党中央政治局委員にも任命されたのである。

それからの数年、韋は北京と上海を行ったり来たりする生活を送った。彼は政府内でも特異な存在だった。全国に散らばる経済特区や同様の市場経済地区の拡大に取り組むビジネス重視の共産党員であったにもかかわらず、中央政治局内ではリベラルな政治思想や個人の自由に断固反対する強硬派でもあったからだ。

つまり彼は毛沢東と中国共産党を崇拝する〝信徒〟であると同時に、国際金融の研究者でもあった。韋にとって、経済の自由化は目的達成のための手段、共産党の力を強大にするための外貨稼ぎの方便であり、共産党体制をくつがえすためのものではなかった。

米ロとの短期の戦争に敗北してしまった中国は、経済的に行きづまって崩壊する、というのが大方の予想だった。すぐにでも飢饉《ききん》が起こり、中央と地方の経済基盤が完全に機能停止し、最終的には無政府状態となる、と多くの者が考えた。崩壊から中国を救うには、韋のような者たちの働きにすがるしかない、と思えた。韋は経済特区を拡大するとともに、それよりも小さな市場経済・自由貿易地区を新たに何十か設置することを強く求めた。

崖《がけ》っぷちに立たされて必死になっていた中央政治局はこの要請を受け入れ、韋の計画案は何の修正もほどこされずにそのまま実行に移された。そして中国の疑似資本主義は飛躍的発展をとげた。

作戦は功を奏した。そして、経済金融改革計画立案の立役者である韋の努力は報われた。大成功をおさめた彼は、〈太子党〉の一員というステータスと政治的に由緒《ゆいしょ》ある家柄の出ということもあって、第一七期中央政治局・中央政府の商務部長（商務相）にぴったりの人物と考えられ、その地位を手に入れたのである。こうして韋が国家の経済・貿易・金融政策を指揮しはじめると、中国経済は二桁《けた》の成長率を享受《きょうじゅ》し、それが永遠につづくかに思えた。

ところがバブルが弾《はじ》けてしまう。

韋が商務部長になってまもなく、世界経済は長い景気後退期に入り、中国でも輸出と海外からの投資が大きな打撃を受けた。その二つは、どちらも韋の功績とされていたもの、つまり彼が根本的な改革をおこなって大発展させたもので、二桁の成長率を実現させてきた中国経済発展の二大原動力だった。それら二つのマネーの〝水源〟が、世界の消費の冷えこみによって、ほとんど干上がってしまったのである。

韋の指揮のもと、経済特区のさらなる拡大が実行されたが、破局への錐揉《きりも》み降下をとめることはできなかった。アメリカの不動産不況とヨーロッパの金融危機が起こると、中国の不動産売買と全世界で行われる人民元の通貨先物取引は儲《もう》かるどころか、底なしに金を失う自滅行為となった。

中央政治の風向きの変化に韋は気づいた。自由市場改革によって国を救って称賛された彼が、いまやそれがゆえに貶《おとし》められようとしていた。政敵たちが、彼の経済モデルは失敗だったと決めつけ、他国との経済関係を拡大させ深化させるのは中国を資本主義の病に感染させることでしかないと主張しようとしていたのだ。

そこで韋商務部長は、自分の経済モデルが破綻《はたん》しつつあるという真実を隠すため、巨大国家プロジェクトに力を注ぐとともに、地方政府が道路、建物、港湾、通信インフラの建設や改修ができるように公共投資の促進を図った。こうしたタイプの投資は、旧共産主義国家の経済モデルに見られたもの、つまり大規模な中央集権的計画によって経済を発展させようとする中央政府の政策だ。

そしてこれは書類上ではうまく機能しているように見えた。韋がつづく三年間にさまざまな委員会に提出した成長率は、戦争直後の数年間の数字ほど高いものではなかったが、なお八、九％というまずまずのレベルにとどまっていた。だが実は、彼は都合のよい事実と数字のみ使って、中央政治局やそれよりも下位の政府機関、さらには世界の報道機関の目をもあざむき、自分が見せたいと思うものだけ見せていたのである。

しかし、それがそのうちばれるトリックでしかないことを韋も知っていた。公共事業に投入された借入金が返済される可能性は皆無だったからだ。なにしろ、中国の輸出需要はがくんと落ち、地方政府の負債額はＧＤＰ（国内総生産）の七〇％にも達し、銀行が抱える不良債権が融資残高の二五％にもなっているというのに、韋率いる商務部は、さらなる借入、支出、建設を勧奨したのである。

すべてがまさに砂上の楼閣でしかなかった。

そして、韋が国家の経済的問題を必死で隠そうとしている最中、新たに厄介な現象が発生し、台風のように国中に吹き荒れた。

それは退党《トゥイダン》運動と呼ばれるものだった。

はじまりは地震だった。痛ましい地震災害への中央政府のひどい対応ぶりに国民の怒りが爆発し、抗議行動が全国の通りで繰り広げられた。政府はこの国民の抗議を力で抑えこもうとした。もちろん手かげんはした。だが、逮捕や催涙ガスの発射というやりかたでは、状況を不安定化させるばかりだった。

指導者たちの連行、投獄で、抗議デモはいったん鎮静化し、公安部はこれで事態を収束させることができたと考えた。ところが抗議活動は、インターネット上に移行していたのである。抗議の声は、よく知られた迂回方法によって中国政府のインターネット・フィルタリングをすりぬけ、国内外で利用可能な新しいソーシャル・ネットワーキング・サーヴィスやチャット・ボードで広がっていったのである。

こうして、何億台ものコンピューター、スマートフォンによって、路上で自然発生した抗議活動がしっかり組織化された強力な運動へと変わっていった。中国共産党は対応に遅れ、公安部は警棒や催涙ガスや囚人護送車ならいくらでもあったが、サイバースペースで起こった二進法による電子暴動を鎮圧できる武器など何も持っていなかった。このオンライン抗議運動は何カ月もかかりはしたが反乱へと変身し、ついに退党運動へとつながった。

退党運動は、その字のとおり、中国国民が共産党からの脱退を表明する運動であり、その脱党者の数は数百人からはじまって、数千人にふくらみ、最終的には数百万人になった。脱党表明はオンラインで匿名《とくめい》のままできたが、国外では実名で公然と表明する者もいた。

四年のうちに、この運動による脱党表明の数は二億以上にもなった。

共産党を不安にさせたのは、四年間に脱党表明した人々の数を示す生の数値データではなかった。そもそも、退党運動を推進する人々が公表したリスト上の名前の多くは、それだけでは実在の人物と確認できない仮名や通称だったので、脱党者の正確な数を特定するのは難しかったのである。共産党に異議を唱えたと言われる人々の数は、実際には二億人ではなく、五〇〇〇万人でしかなかったのかもしれない。だから、中央政治局を怯《おび》えさせたのは、そうした数値ではなくて、国外で公然と脱党表明した人々による反党宣伝であり、この謀反《むほん》運動の成功に世界が関心を示しつつあるという事実だった。

韋商務部長は、広がりつづける退党運動を注視し、それが中央政治局内部につくりだした怒り、困惑、恐れにも目を向けつつ、まだ隠蔽《いんぺい》されたままの国家の経済問題を熟考した。そして、いまは迫りくる危機を暴露《ばくろ》すべきときではない、と考えた。大規模な緊縮策による改革をいますぐ断行するのはまずい。

中央政府の弱みをいま見せるのは絶対にいけない。いまはいかなることに関する弱みも見せてはいけない。そんなことをしたら、民衆の不満を燃え上がらせ、反乱を勢いづかせるだけだ。そう韋は思った。

第一八回共産党大会（全国代表大会）で、韋真林《ウェイヂェンリン》にもまったく予想できなかった驚くべきことが起こった。なんと彼が中国共産党（中央委員会）総書記に選出され、国家主席に指名されたのである。韋《ウェイ》は自らがつくりあげた砂上の楼閣の王になったのだ。

そのときの総書記・国家主席の選出は、中国共産党中央政治局の言い回しを借りれば、「大騒動」だった。総書記・国家主席の最有力候補と目されていた政治局常務委員二人が、よりによってどちらも、党大会直前の数週間のうちに次々に失脚してしまったのだ。ひとりは出身地である天津《テンチン》市での汚職事件で、もうひとりは部下の逮捕とスパイ容疑で。しかも、残った被選出資格のある政治局常務委員のうち、失脚者のいずれとも同盟関係になかった者は、たったのひとりだったのである。

そして、そのひとりこそ韋だった。彼はいわゆる〝仲間はずれの孤立者〟であり、そのときもなお、どの党派にも所属しないアウトサイダーと考えられていたので、まだ適齢とは言えない五四歳という若さで、国家の最高権力者に選出されてしまったのだ。つまりその選出は妥協の産物だったわけである。

ただ、中華人民共和国の最高位は三つある。国家主席、中国共産党総書記、それに軍の統帥権をにぎる中央軍事委員会主席の三つだ。この三つはひとりが兼任することが多いのだが、韋が国家元首になったとき、中央軍事委員会主席には中国人民解放軍の上将（大将）の蘇克強《スーコーチアン》が就任した。蘇《スー》は毛沢東《マオツォートン》が最も信頼した元帥たちのひとりの息子で、韋とは幼馴染《おさななじみ》であり、北京の学校でもスイスのインターナショナル・スクールでもいっしょだった。二人が同時に国家の最高位にまでのぼりつめたという事実は、〈太子党〉が国を統治するときがきたことを明かしていた。

だが、これからはじまる二人の〝共同領導〟が「同じ目的をめざして仲良く連携していく」という形にならないことは、最初から韋にはわかっていた。蘇は昔から軍備増強の積極的な支持者で、国内向けの演説で強硬な発言を繰り返し、人民解放軍の戦力を称《たた》え、中国はいずれ地域のリーダーとなり世界的強国となるのだと主張してきた。そして蘇とその参謀たちは、この二〇年間、年間二〇%ほども増加していく国防費のおかげで軍備を増強しつづけてきた。蘇が壮麗な観兵式で人々に感銘を与えるためだけに軍備を強化するタイプの将軍でないことは、韋もよく知っていた。

蘇は戦争をしたいのだ。間違いない、と韋は思っていた。だが、韋が見るかぎり、いまの中国にとって戦争は絶対に避けなければならないことなのである。

三つの最高権力の地位のうちの二つを得た三カ月後、韋真林《ウェイヂェンリン》は、中南海《ヂョンナンハイ》——北京の故宮（紫禁城）と天安門広場の西に位置する、中国共産党の指導者たちの執務室と居住施設がある塀にかこまれた区画——でひらかれた中央政治局常務委員会で、ある戦略的決断をした。その結果、彼はわずか一カ月後に銃口を自分のこめかみに向けざるをえなくなるのだが、このときはそうなるなんて夢想もしていなかった。そして彼がその決断をしたのは、国家のほんとうの財政状態をいつまでも隠してはおけない、少なくともそれは政治局常務委員たちのすぐ知るところとなるだろう、と思ったからだ。すでに財政問題の噂《うわさ》が商務部から洩《も》れ出ていたし、地方からもすこしずつ伝わってきていたのである。だから韋《ウェイ》は、自分の経済体制に迫りつつある危機について説明し、それへの対応策を提示することによって、悪い噂を阻止しようと決心したのだ。会議室に集まった無表情の常務委員たちに韋は、地方の借入金の削減をはじめとする緊縮政策をいくつか提案する、と言いはなった。そしてこう説明した――それで国の経済は徐々に強化されるが、短期的に景気が下降するというマイナス面もある。

「短期とはどのくらいですか？」国務院総理すなわち首相が尋ねた。

韋は嘘《うそ》をついた。「二、三年」緊縮改革政策をはじめて所期の効果があらわれるまでには五年近い年月がかかる、と彼は部下の統計士たちに言われていた。

「経済成長率はどのていど下がるんですか？」今度は共産党中央規律検査委員会書記が訊《き》いた。

韋はためらったものの、すぐに穏やかだが妙に明るい声を出した。「推計では、その緊縮法案が制定され実施されたら、成長率は最初の一年にどうしても一〇ポイントは下がってしまう」

韋以外のだれもが息を飲んだ。

中央規律検査委員会書記は言った。「成長率は現在八％ですよ。すると、マイナス成長になるということですか？」

「そう」

共産党中央精神文明建設指導委員会主任が部屋中に響きわたる大声をあげた。「わが国の経済は三五年間、成長しつづけてきたんだ！　敗戦の年だってマイナス成長にはならなかった！」

韋は首を振り、落ち着いた口調で応《こた》えた。声も仕種《しぐさ》も穏やかで、動揺をあらわにしている大半の同席者たちとは好対照だった。「われわれはだまされていたのです。わたしは戦後の財務記録をじっくり調べてみました。経済成長のほとんどは、わたしが主導してはじめた貿易の拡大によってもたらされたものです。敗戦の年には経済は成長していないというのが真実なのです」

いまこの部屋にいる大半の者はわたしの言ったことを信じていないな、と韋はすみやかに見てとった。わたしはこの危機を知らせるメッセンジャーにすぎない、中国をこんな危機におちいらせた根本的原因をつくったのはわたしではない、と彼は思いこんでいた。だが、他の常務委員たちは韋を猛然と非難しはじめた。彼は力強く反駁《はんばく》し、自分が立案した経済立て直しプランを認めるよう迫ったが、他の者たちは耳をかたむけず、拡大しつづける街頭での反政府活動を話題にし、そうした新たな問題によって政治局内の自分たちの地位はどのような影響を受けるのかと心配し合った。そこからはもう非難合戦となり会議は混乱するばかりで、建設的な話はまったく出なかった。韋は終始、防御にまわり、日が落ちるころには中南海の自分の居住施設に引きこもってしまった。彼は仲間の常務委員たちの能力を買いかぶっていたのだと思い知った。彼らはこの危機の重大性を理解することさえできないのだ。わたしの計画案を聞こうともしない。この件をこれ以上議論しようとしても無駄だ。そう韋は思った。

彼はどの党派にも属さなかったからこそ総書記になれ国家主席になれた。だが、中国経済の厳しい未来について言い争ったこの何時間かに彼は、常務委員の何人かが盟友であったならと思わずにはいられなかった。

韋はきわめて現実的な政治感覚をもつ経験豊かな政治家だったので、現在の政治状況で自分の身を護《まも》るのなら、これまでの政権が公表してきた三五年にわたる中国の経済成長と繁栄は自分の政権下でもつづくと宣言する手しかないとわかっていた。だが彼は同時に、国家の極秘財務記録を自由に閲覧できる優秀な経済専門家でもあったので、中国の繁栄がいままさにキーというブレーキ音を立てて止まろうとしていて、これから確実に〝運命の逆転〟が起こるということもわかっていた。

いや、この国の問題は経済だけではなかった。中国のような全体主義国家は――少なくとも理論的には――多くの財政問題を隠蔽することができるのである。実は韋がここ何年かやってきたことは、そういうことなのだと言わざるをえない。経済を刺激して、まだまだ繁栄を持続できるのだという偽りの印象を与えるために、彼は公共部門プロジェクトを利用したのである。

だが韋は知っていた。祖国はいま、日々大きくなりつつある異議申し立ての〝火薬樽《だる》〟の上に乗っていて、その国民の不満がぎっしり詰まった樽がいつ大爆発してもおかしくないということを。

悲惨な結末となった中南海《ヂョンナンハイ》での会議から三週間がたったとき、韋《ウェイ》は自分が保持してきた権力が危うくなっていることに気づいた。国家主席としてハンガリーへ外遊している最中《さなか》、中央政治局常務委員のひとりである中国共産党中央宣伝部長が、全国のあらゆる国営メディア機関、さらには中国共産党支配下にある海外の通信社にも、韋が主導してきた経済政策を批判する報道を開始するよう命じたのである。こんなことは前代未聞《ぜんだいみもん》のことで、韋は怒り狂った。彼は急遽《きゅうきょ》、北京にもどり、すぐに宣伝部長との話し合いの場を設定するよう命じたが、部長はいまシンガポールに滞在中で週末になるまで帰れないとのことだった。そこで韋は緊急政治局議会を招集し、政治局委員二五人全員に声をかけたが、それに応えて中南海に集まってきたのは一六人にすぎなかった。

何日もしないうちに、今度は腐敗を告発する報道がメディアにあらわれた。韋は上海市長時代に権力を不正利用して個人的利益を得たというのである。しかも、その告発を裏付けるものとして、数十人にものぼる彼の元側近や内外のかつての仕事仲間の署名入りの証言まで集められていた。

韋は腐敗などしていなかった。彼は上海市長時代、地域の経済界、警察、党機関のなかに腐敗を見つけたときはかならず、それと闘ってきたのである。その闘いの過程で彼は敵をつくり、そうした敵たちが今回、大喜びで彼を不利にする嘘の証言をしたというわけだった。なにしろ、証言すれば政治的利益を与えると、共産党幹部のクーデター首謀者たちに言われたのだから、その誘いに乗らない手はない。

そして、アメリカの司法省に相当する公安部が、この〈太子党〉の指導者への逮捕状を発付した。

韋は何が起ころうとしているのかわかっていた。クーデターが企《たくら》まれたのだ。

その企みは、韋への非難がはじまって六日目となる朝ついに、だれの目にも明らかなものになった。国家副主席が中南海のカメラの放列の前に歩み出て、韋国家主席に係る不幸な事件が解決するまで自分が国家の舵《かじ》取りをすると宣言し、外国メディアの記者たちを驚愕《きょうがく》させたのである。主席は現在、公式には逃亡犯である、とも副主席は明言した。

そのとき韋は、中南海の自分の居住施設にいた。記者会見の場から四〇〇メートルしか離れていないところだった。数人の忠臣が集結してそばについていたが、流れは完全に悪い方向へ変わってしまっていて、もはやどうにもならないようだった。明朝一〇時までに逮捕を実行する公安部担当官たちを居住施設に入れるように、と韋は副主席府に通告されていた。抵抗すれば、力ずくでの執行となるから、おとなしく逮捕されるように、とも念を押されていた。

その六日目の夜遅く、韋はやっと反撃を試みた。自分を失脚させる陰謀をくわだてた党幹部たちを特定し、それ以外の中央政治局常務委員たちを集めて秘密会議をひらいたのである。そして、陰謀に無関係なその五人に、こう強く訴えた——わたしは自分を〝民主的な指導者〟だと思っている、わたしが国家主席・総書記の地位にとどまれたら、集団指導をたえず念頭において国の舵取りにあたる。要するに、きみたちは一人残らず、ほかのだれかが最高権力者になった場合よりもずっと大きな権力を手にできるのだぞ。彼は甘い餌《えさ》で五人を自分の側に引きこもうとしたのである。

だが、常務委員たちの反応は冷たいものだった。彼らは命運尽きた男を見つめるかのように冷ややかな視線を投げるばかりで、彼と手を組むことにはまったくと言っていいほど関心を示さなかった。中国で二番目に権力のある中央軍事委員会主席、蘇《スー》克強《コーチアン》は、会議中ひとことも発しなかった。

その夜、韋は一晩中、自分は朝になったら失脚する——逮捕、拘置され、偽りの自白書に署名させられ、処刑される——のだろうかと考えつづけた。結局、この先どうなるのか、まったく予想がつかなかったが、未明になって自分の未来をさらに一段と暗くするようなことが起こった。クーデター派にまだ加わっていない五人の中央政治局常務委員のうち三人が、「あなたを失脚させる活動に加担するつもりはないが、わたしにはあなたを助けられる政治的影響力もない」というメッセージを送ってきたのだ。

午前五時、韋は自分のスタッフを呼び、自分は国家のために身を引く、と告げた。そこで、スタッフが公安部に、韋が自首する決心をしたと通知し、天安門広場の向こう側に位置する東長安街《ドンチャンアンジェ》の公安部ビルから中南海へ逮捕チームが急派された。

おとなしく逮捕される、と韋は公安部に言っていた。

だが、おとなしく連行されはしないぞ、と彼は心に決めていた。

彼は居住施設の外に一歩も出るつもりはなかった。

五四歳になる〈太子党〉の国家主席は、政治劇の〝小道具〟として利用されるなんて真っ平だった。政敵どもは国家破綻の罪を自分にかぶせようと目論《もくろ》んでいるのだと彼にはわかっていた。

やつらは死んだわたしを捕まえることはできる。お望みなら、わたしの政治的遺産を思いどおりに利用するがいい。だが、わたしは生きてそれを見る気はない。そう韋は思った。

だから、警察隊の車が公安部から中国共産党中枢《ちゅうすう》地区である中南海へ向かって走ってくるあいだに、韋は自分の警護班長の馮《フォン》に事情を話し、拳銃《けんじゅう》を一挺《ちょう》わたしてもらい、その撃ちかたも教わった。

韋《ウェイ》は黒くて大きい半自動式の92型拳銃（QSZ‐92）をにぎりしめ、その銃口を自分の頭に向けていた。手が小刻みにふるえていたが、これから自らの命を断とうという者にしては落ち着いていた。目を閉じ、指に力をこめて引き金《トリガー》をゆっくりと引きはじめた。ふるえが大きくなって、全身に広がりだした。まず脚がガタガタふるえ、それが上半身へと伝わっていった。

そのふるえで銃口がそれて、弾丸が脳に命中しなくなるのではないかと、韋は不安になった。だから銃口をさらに強くこめかみに押しつけた。

と、そのとき、執務室の外の廊下から叫び声が聞こえてきた。馮《フォン》の声だ。ひどく興奮した声。

好奇心が頭をもたげ、韋は目をあけた。

執務室のドアが勢いよくひらき、馮が駆けこんできた。韋の体は、弱さを馮に気取られるのではないかと心配になるほど激しくふるえていた。

韋は素早く拳銃を下げた。

「どうしたんだ？」彼は訊いた。

馮の目は大きく見ひらかれていた。だが、顔にはそれとは相容《あいい》れない笑みが浮かんでいる。警護班長は言った。「総書記！　戦車！　戦車が通りに！」

韋は胸のあたりまで下げていた拳銃をさらに慎重に下げていき、銃口を床に向けた。

《えっ、どういうことだ？》「公安部だろう。公安部にも装甲車両はある」国家主席は返した。

「いえ、ちがうんです！　装甲兵員輸送車ではありません。戦車なんです！　戦車の長い列が、天安門広場のほうからこちらに近づいてくるのです！」

「戦車？　だれの戦車？」

「蘇《スー》のです！　将軍……いや、失礼、中央軍事委員会主席にちがいありません！　主席が総書記を護るために〝頑丈な鎧《よろい》〟を送りこんでくれたのです。公安部も、人民解放軍に逆らって総書記を逮捕するわけにはいきません。できるわけがない」

　韋もこの事態の急変が信じられなかった。〈太子党〉の人民解放軍上将（大将）にして中央軍事委員会主席であり、昨夜、韋が直接会って支援を求めた者たちのひとりでもある、蘇克強《スーコーチアン》が、文字どおりギリギリ最後の瞬間に助けにきてくれたのだ。

　中国共産党総書記にして中華人民共和国・国家主席は、拳銃を机上におき、警護班長のほうへ滑らせた。「馮少佐……どうやら、今日のところはこれを使わなくてすむようだ。わたしが怪我《けが》をしないうちに、片づけてくれ」

　馮は拳銃をつかむと、安全装置《セイフティー》をかけ、腰のホルスターにするりとおさめた。「安心いたしました、ほんとうに、国家主席」

　自分が死のうが生きようが馮にはどうでもいいはずだと国家主席は思ったが、嬉《うれ》しさで頭がくらくらし、椅子《いす》から立ち上がってボディーガードと握手した。

こんな日は、どんな味方でも、たとえ条件付きの味方であっても、大事にしたほうがいい。

韋は執務室の窓の外に目をやり、視線を居住施設の向こうへ投げた。中南海《ヂョンナンハイ》の塀からだいぶ離れたところにそれは見えた。通りを埋めつくす戦車。そして、戦車の列の横をきちんと隊列を組んで歩く人民解放軍の兵士たち。みな、小銃の銃床《ストック》を腕の曲げたところにあてている。いつでも撃てる持ちかただ。

近づいてくる戦車の轟音《ごうおん》が聞こえてきて、執務室の床を揺らし、本や備品や家具をカタカタ鳴らしはじめたとき、韋は思わず笑みを浮かべた。が、その笑みもすぐに揺らぎ、薄らいだ。

「蘇?」当惑し、声に出して自問した。「よりによって……なぜ蘇が……わたしを救いにくるんだ?」

だが、その答えはわかっていた。韋は軍の介入を歓迎し、ありがたいと思いはしたが、すでにこの段階で、こうして生き延びて自分は強くなるのではなく弱くなるのだとわかった。軍の行動は無条件のものではない。蘇はかならず見返りを求めてくる。

国家主席としての残りの任期中、自分は蘇とその配下の将軍たちから受けた恩義に報いることを優先しつつ国の舵取りにあたらなければならないのだ、と韋真林《ウェイヂェンリン》は思った。そして、蘇が見返りに何を求めてくるのか、韋にははっきりわかっていた。

5

ジョン・クラークはキッチンの流しの前に立って、窓から外に目をやり、裏の牧草地に霧が立つのをながめていた。暮れゆく夕方で、あたりは刻々と暗くなっていく。彼はひとりだった。だが、ひとりでいられるのはあと数分。だから、一日中怖くて出来なかったことを、もうこれ以上延ばせないという心境になった。

クラークは妻のサンディとともに、ゆるやかに起伏する草原と森林地からなる五〇エーカーの農場の母屋《おもや》に住んでいた。所在地はペンシルヴェニア州との州境に近いメリーランド州フレデリック郡。クラークはまだ農場暮らしに慣れていなかった。なんとなく恥ずかしい気分がまだ残っている。そもそも田舎暮らしなんてする気はなかったのだ。わずか二、三年前でも、自分が裏のポーチでアイスティーを飲む〝田舎に住む資産家〟のような存在になるのを想像しただけで、笑ってしまうか嫌悪感《けんおかん》をおぼえていたはずだ。

だが、彼はこの新しい住処《すみか》が大好きになってしまっていた。サンディは夫以上にここが気に入っている。そして孫のジョン・コナーは、お祖父《じい》ちゃん、お祖母《ばあ》ちゃんに会いに、この田舎を訪れるのが楽しくてしかたない。

クラークはぐずぐず内省をして暮らすのが好きなタイプではない。彼は一瞬一瞬をその場で完全に生ききりたい人間なのだ。だが、いまこうして自分の農場を見わたし、いますぐやらないといけないことを考えると、よくもまあこんなに快適な引退生活を自分のために用意できたものだと認めざるをえなかった。

いや、だから、もう仕事をつづけられないのかどうか、いまから確認しなければならない。

包帯をはずして、負傷した手の機能がどこまで回復しているか調べてみる必要があるのだ。

もういちど。

八カ月前、クラークの右手は、モスクワ北西部のミチノ地区にあるみすぼらしい倉庫で未熟ではあるが執拗《しつよう》な拷問《ごうもん》者に折られ——いや、打ち砕かれ——てしまったのである。骨折箇所は、指、掌《てのひら》、手首の九カ所にのぼり、クラークはこれまでに四度の手術を受け、その準備や術後の回復にかなりの時間をとられてきた。

今日は四度目の手術の二週間後にあたり、負傷した右手の力と動きをテストしてもよいと外科医に言われた日だった。

ジョン・クラークは壁の時計をちらっと見やった。あと数分もすればサンディとパツィが帰ってくる。妻と娘は連れ立って食料品を買いに車でウェストミンスターまで出かけたのである。二人は、手の機能テストをするのは自分たちが帰ってきてからにして、と言って出かけていった。その場に立ち会ってディナーとワインで回復を祝いたいから、というのが理由だったが、それは口実だとクラークにはわかっていた。サンディとパツィはおれにひとりでテストをさせたくないのだ、と彼は思っていた。二人は結果が悪かったときのことを心配しているのだ。指が手術前よりも動くようになればいいが、そうならなかった場合、近くにいて励まし、精神的に支えたいと思っているのである。

では、そうしよう、とクラークは二人に答えはしたものの、いまになって、これは自分ひとりでやらなければいけないことなのだと気づいた。たしかに、早くやりたくて待ってなんていられない気分だし、もがき、あがく姿を妻と娘に見せるのはプライドが許さない。だが、それだけではなかった。医師の娘と元看護師の妻が絶対に許してくれないほどの無理をする必要があるとクラークは悟ったのである。

二人はクラークが痛みに苦しむのではないかと心配していたが、彼自身は痛みのことなど心配していなかった。彼は世界中のだれよりも痛みをうまく処理する方法を学んだと言ってよい。だから、そう、彼が心配していたのは、痛みではなく、屈伏だ。それを避けるためなら、どんな肉体的無理もいとわなかった。そしてそれは見ていて楽しいものではないだろうという気がしていた。クラークは人間に耐えうる限界まで自分の肉体に鞭打《むちう》って手の力と動きをテストするつもりだった。

クラークはキッチンのカウンターに向かって立ち、包帯をとくと、指のあいだに入っていた小さな金属製副木《そえぎ》をはずした。そして包帯と副木をカウンターにおき、窓に背を向けて居間へ歩いていった。居間の革張りの椅子《いす》に座り、右手を上げ、仔細《しさい》に調べた。手術の傷跡は新しいものも古いものも小さくて、目を引きつけるほどの凄《すご》みもなく、それだけ見ると、手が受けたダメージもたいしたことがないように思えるが、実際にはとてつもない損傷を受けたことをクラークは知っていた。ジョンズ・ホプキンズ大学病院の担当医は世界最高の整形外科医のひとりと目されている男で、彼は切開を最小に抑えるという方針のもとに今回の手術をおこない、腹腔鏡《ふくくうきょう》カメラと蛍光透視画像を利用して骨の損傷部を修復し、治癒後の傷跡である瘢痕《はんこん》組織のケアにあたった。

見たところ手の具合はそれほど悪そうではなかったが、完全回復の見込みは五〇％

以下だとクラークにはわかっていた。

なにしろ医師たちにこう言われたのだ――もし鈍的外傷が手のもうちょっと高いところに発生していたら、指関節の瘢痕組織はこれほど多くはならなかったでしょうね。もしあなたがもうすこし若ければ、たぶん完全回復できるほどの治癒力があったでしょう、と医師たちははっきり言いはしなかったが、それを言外に匂《にお》わせはした。

むろん、そのどちらについても自分にできることは何もないとジョン・クラークにはわかっていた。

彼は〝予後不良〟というイメージを頭から追い出し、代わりに〝成功〟のイメージを膨れ上がらせ、気持ちを引きしめた。

すぐ前のコーヒーテーブルに載っていたラケットボールのゴムボールを左手でつかみ上げ、検分した――決然たる目でじっと見つめた。

「ようし、はじめようか」

左の掌に載せたボールに右手をかぶせ、ゆっくりと指を閉じようとした。

ほぼ即座に、まだ人差し指を自由に動かせないとわかった。

これでは引き金《トリガー》を引けない。

《くそっ》

人差し指の基節骨と中節骨の両方が拷問者のハンマーによってほとんど粉々に打ち砕かれてしまったのだし、若いころからトリガーを引きつづけてきたせいですでに関節炎の症状が出はじめていた指節間関節も、重大な損傷を受けたのだ。

ほかの指は動かせ、指先を小さな青いボールに押しつけることができたが、トリガーを引くのに使う人差し指だけは痙攣《けいれん》させることしかできなかった。

だがクラークはその失敗にも焼けるような痛みにもめげず、それらを頭から追いやり、さらに力をこめて人差し指をまげようとした。

痛みが強くなった。思わず低くうめいたが、手のなかの小さなラケットボールのゴムボールをにぎりつぶそうとしつづけた。

親指は新品であるかのように問題なく動く。薬指と小指はボールをうまく締めつけられる。だが、中指の回復度はボールにそってまげられる程度——強い力をこめるのは無理のようだが、手術のおかげで動かすことはできるようになった。

クラークはさらに強くボールをにぎろうとした。手の甲の鋭い痛みが激しくなった。彼は顔をしかめたが、かまわず手に力をこめつづけ、もっと強くにぎろうとした。人差し指の痙攣がとまった。弱い筋肉が疲れ果て、力がまったく入らなくなって、人差し指はほぼまっすぐ伸びたまま動かなくなった。

こうして力をこめてボールをにぎりつぶそうとすると、手首から指先までの右手全体が痛みを発する。

痛みに耐えることくらいクラークには何でもない。握力が多少弱くなったってなんとかやっていける。

しかし、トリガーを引く指がほとんど機能しないとなると……。

ジョン・クラークは手から力を抜いた。すぐに痛みが弱くなった。額と襟のまわりに汗が噴き出していた。

ボールが堅木の床に落ちて弾み、部屋のすみに転がっていった。

たしかにこれは手術後初めてのテストにすぎない。だが、彼にはわかった——そう、手が完全にもとどおりになることはもう絶対にないのだ、と。

ただ、右手が傷ついて言うことを聞かなくなっても、銃なら左手でも撃てるということはわかっていた。なにしろ、SEALs《シールズ》（米海軍特殊部隊）隊員やCIA特殊活動部（SAD）準軍事作戦工作員はみな、利《き》き手でないほうの手での射撃練習にも、大半の法執行機関員が利き手での練習に費やすよりも多くの時間を投入しているのだ。

ジョン・クラークはこの四〇年近くずっと、海軍SEALs《ネイヴィー・シールズ》隊員かCIA・SAD工作員だったのである。いずれの機関でも、戦闘要員には利き手ではないほうの手での射撃訓練が必須《ひっす》とされている。戦闘員はみな、利き手かその近くを負傷する危険にたえずさらされていて、実際にそうなる確率がかなり高いからだ。

それを説明する、広く受け入れられている理論がある。次のようなものだ。いまにも銃撃戦がはじまろうというとき、被弾する可能性のある者は、脅威の対象という一点に注意を集中させてしまうことが多い。そしてその場合の脅威の対象は、敵対する攻撃者だけではない。敵が持つ武器そのものもまた、脅威の対象となる。たしかに、火を吐き、鉛玉を狙《ねら》った相手に向かって飛び出させ、その体を破壊しようとする道具は、脅威の源である。したがって、銃撃戦に巻きこまれた者が、銃を持つ利き手や利き腕に被弾するということが実によく起こる。要するに、相手の銃撃者はこちらの銃を見つめ、そこに焦点を合わせて撃ち返してくるので、当然ながら、弾丸がそこに向かってまっすぐ飛んでくることが多くなる、というわけだ。

だから、武装した敵に立ち向かう可能性のある男と女にとって、利き手ではないほうの手で銃を撃つ技術は絶対に身につけておかなければならない生死に係る重要なものなのだ。

練習に励めば左手でふたたび正確に銃を撃てるようになるということくらいジョン・クラークにもわかっていた。

だが、実は手だけの問題ではないのだ。ほかの部分も問題なのである。

「おまえも老いたんだ、ジョン」クラークは独りごちて立ち上がり、歩いて裏のポーチに出た。またしても牧草地に目をやり、露に濡《ぬ》れた草地をわたる霧をながめた。森から一匹の赤狐《あかぎつね》が勢いよく走り出すのが見えた。狐は草地を駆け抜け、水溜《みずた》まりの雨水を後方へ撥《は》ね上げながら軽快な身のこなしで森へ駆けもどった。

《そういうことだ》とクラークは自分に言い聞かせた。《おれはもう現場の仕事をするにはいささか年をとりすぎた》

だが、まだ老い耄れではない。クラークはブルース・スプリングスティーンやシルヴェスター・スタローンとほぼ同い年だった。彼ら六〇代半ばのロックンローラーとアクションスターはいまもなお、生命の危険にさらされることはないものの、かなりの肉体的活動を必要とする仕事を元気にこなしつづけている。それにクラークは最近、アフガニスタンでいまなお戦っている六〇歳の海兵隊二等軍曹についての新聞記事を読んだ。その軍曹は毎日、自分の孫ほどの年の若い兵士たちと敵地の山岳地帯を徒歩でパトロールしつづけているという。

その軍曹とビールを一杯やり、タフガイ同士、昔話に花を咲かせたいものだ、とクラークは思った。

年なんて単なる数字にすぎん、とクラークはつねづね言ってきた。

しかし、肉体は？　肉体はリアルなもので、気持ちでどうにかなるものではない。歳月は休みなく流れつづけ、その流れのなかで積み重ねられる危険で過酷な活動がジョン・クラークのような職業の男の肉体を疲弊させる。それは流れの速い川が谷に窪《くぼ》地《ち》を掘るのと同じくらい確実に進行する。生活のために跳びはねるスプリングスティーンやスタローンのような〝変な爺《じい》さん〟たちは、クラークが耐え抜いてきた苦難の五〇分の一も伴わない仕事をこなしているにすぎない。どんな理屈をこねようとこの真実だけは変えられない。

妻のSUVが砂利敷きの庭内路《ドライヴ》に入ってとまる音がクラークの耳に達した。彼は裏のポーチの揺り椅子《ロッカー》に座り、妻と娘が家のなかに入ってくるのを待った。

静かな農場の母屋のポーチに、六〇代半ばの男がひとりで座っている図は、まさに平安、平穏を絵に描いたようなものだが、そのイメージは見かけだけのものだった。ジョン・クラークの心のなかには、ヴァレンティン・コヴァレンコへの怨念《おんねん》が渦巻いていた。できれば、あのクソ野郎――この右手をメチャクチャにしてくれた陰険で狡《こう》猾《かつ》なあの日和見《ひよりみ》主義のロシア野郎――の喉《のど》を良いほうの手で鷲摑《わしづか》みにし、力と動きのテストをかねて気管をにぎりつぶしてやりたい。

だが、そんなことはもう絶対にできない。

「ジョン?」妻サンディの呼び声がキッチンから聞こえた。

妻と娘はうしろのキッチンのドアから家のなかに入ってきたのだ。クラークは額に残っていた汗をきれいにぬぐい、声をあげて応《こた》えた。「ここだ、外のポーチ」

サンディとパツィはすぐに外のポーチに出てきて、そばの椅子に腰かけた。そして、それぞれ一分ずつ、なぜ自分たちが帰るのを待っていなかったのかと責めてから、クラークが弁解するのを待った。だが、彼の沈鬱《ちんうつ》な気分に気づき、不満はたちまち消え失《う》せた。彼は落ちこんでいた。母娘は顔を曇らせ、心配げに身を前に乗り出した。

「動く。にぎることも……すこしはできる。たぶん、理学療法を受ければもうすこし良くなるだろう」

娘のパツィが言った。「でも?」

クラークは首を振った。「おれたちが期待していたようなものではない」

サンディがクラークのところまで行って膝《ひざ》の上に座り、夫の体をぎゅっと抱きしめた。

「大丈夫、おれは平気だ」クラークは妻を宥《なだ》めた。「もっとずっとひどいことになった。

ていたかもしれないんだからな」彼はふっと拷問の場面を思い出した。ヘリの到来があと一分遅かったら、拷問者どもはおれの目にメスを突き刺していたんだ。むろん、そのことはサンディにもパッツィにも話していない。だが、打ち砕かれた右手の治療に専念していると、ときどきそのときのことが不意に脳裏によみがえる。やはり、えらく幸運だったのだ。クラークには感謝すべきことがたくさんあり、それは彼自身よくわかっていた。

クラークはつづけた。「しばらく理学療法を頑張ることにするよ。先生《ドック》たちはおれの傷を治すためにできるかぎりのことをしてくれた。今度はおれが自分にできることをやる番だ」

サンディは夫の体に巻きつけていた腕をほどいて上体を起こし、クラークの目をまっすぐ見つめた。

「どういうこと？」

「やめようか、ということだ。まずはディングに話す」こういうことはやはり、最初に娘婿《むすめむこ》のドミンゴ・〝ディング〟・シャベスに相談しないといけない。「だが、月曜にはヘンドリー・アソシエイツ社へ行って社長のジェリーに会うつもりだ」かなり長いあいだためらってから言った。「おれはもう終わりだ」

「終わり？」

「引退する。完全引退」

ここ何年も、いや何十年ものあいだ目にすることができなかった安堵《あんど》の表情がサンディの顔に浮かぶのを、ジョン・クラークは見た。もちろん彼女はその表情を隠そうとしたはずだが、無駄な努力だった。それは喜びの表情と言ってもよいものだった。サンディは夫の仕事のことで愚痴をこぼしたことなど一度もなかった。この何十年か、クラークはよく、行き先などまったく告げずに深夜に家から飛び出し、数週間連続で所在不明となった。ときには、血まみれ、傷だらけになって帰ってくることもあった。妻にとってはさらにつらいことに、帰宅して何日ものあいだ、ひとことも発せずに押し黙りつづけることもあった。遂行したばかりの任務から心が離れ、沈みこんでいた気持ちが回復して浮き上がり、ふたたび微笑《ほほえ》み、くつろぎ、ぐっすり眠れるようになるまでに、それだけの日数が必要になったというわけだ。サンディは何十年ものあいだ、そうした夫との暮らしにずっと耐えてきたのである。

NATOの多国籍対テロ準軍事秘密部隊〈レインボー〉の長官を務めていたクラークとともにイギリスで過ごした年月が、サンディにとっては夫との生活の最良の時期だったと言える。そのときはクラークの勤務時間もほぼ人並みで、ともに過ごす時間も楽しいものだった。だが、そんなイギリス滞在期間中でも彼女は、何十人もの若者の運命が夫の双肩《そうけん》にかかっているということを知っていたし、それが夫にとってかなりの重圧になっていることも知っていた。

アメリカにもどってクラークがヘンドリー・アソシエイツ社の職員になると、サンディはふたたび夫の体と心に強いストレスがかかるのを感じとった。夫は現場活動要員にもどったのだ――サンディはそう確信した。むろん、夫がその現場活動について詳しく教えてくれるということは今回もめったになかったが。

そして昨年、夫はアメリカの報道機関から〝国際的お尋ね者〟と呼ばれ、逃亡せざるをえなくなり、サンディは彼がいないあいだ、それこそ四六時中、心配しつづけなければならなかった。この騒動は、退陣間近のアメリカ大統領が公式に謝罪したおかげで、報道の世界でも急速かつ完全に収束し、ジョン・クラークはもとの生活にもどれたが、それまでどこにいたのかもわからぬまま帰ってきた先は、自宅ではなく、病院だった。「死ぬ一歩手前まで袋叩《ふくろだた》きにされた」とは、まだクラークが麻酔から醒《さ》めぬうちに外科医のひとりが待合室でサンディにそっと言った言葉だ。右手を打ち砕かれての過酷な苦難からの帰還だったが、とにもかくにも夫が生きて帰れたことをサンディは毎日、神に感謝していた。

クラークはさらに二分間、自分のいまの状況を最愛の二人の女性と話し合ったが、サンディの目に心底ほっと安心する表情があらわれるのを見た瞬間、わずかに残っていた引退への疑念も霧散した。

サンディが心穏やかに暮らせるのを喜ぶのは当然のことだ、とクラークは思った。パツィも当然そういう暮らしを望んでいるはずだ。二人にはさんざん心配をかけてきたのだから。おれは孫にだって、まだお祖父《じい》ちゃんらしいことをしてやっていない。しばらくは孫のそばにいてやらないと。野球の試合を応援しにいってやりたいし、卒業式に誇らしげに参列してやりたい。それくらいはしてやらないとな。そう、それから、できれば、結婚して教会の通路を歩く姿も見てやりたい。

ヴェトナム戦争以来やってきた仕事を考えると、おれはいつ死んでもおかしくないような生きかたをほぼずっとつづけてきたことになる。

それももう終わりだ。おれは降りる。

引退すると決めたとき安らかな気持ちが自分のなかに広がるのを感じとり、ジョン・クラークはびっくりした。ただ、ひとつだけやり残したことがある。その悔しさだけはきっと、い、つ、ま、で、も、消えないのではないか。つまり、このまま引退すれば、ヴァレンティン・コヴァレンコの喉を自分の手で絞めつける機会を永遠に逸することになる。

《まあ、いいさ》とクラークは娘をやさしくハグしながら思い、夕食の準備を手伝いにキッチンへ入っていった。コヴァレンコがいまどこにいようと、野郎が楽しく過ごしているなんてことはまずありえない。

6

マトロースカヤ・チシナーはモスクワ北東部にある通りの名前だが、それよりもずっと長い名称をもつ施設の略称としても使われている。その施設の正式名称、ロシア連邦刑務局・モスクワ市内連邦予算施設IZ-77/1は軽やかに発音できる代物《しろもの》ではないので、マトロースカヤ・チシナー通りにあるその巨大な拘禁施設に言及するとき、人は通常その通りの名前だけを用いる。

それはロシアの最大にして最古の拘置所——公判前容疑者勾留《こうりゅう》施設——のひとつで、建設されたのは一八世紀であり、その古さは隠しようがない。通りに面する七階建ての建物の正面はきれいに手入れされていて、豪奢《ごうしゃ》とさえ見えるほどだが、内部の監房は狭く、老朽化していて、ベッドにも寝具にも虱《しらみ》がたかり、当初の収容能力の三倍を超える被収容者をかかえる現在、水道設備も充分とはとても言えない。

午前四時ちょっと前、〈マトロースカヤ・チシナー〉の古い本館の緑と白に塗られた廊下を、一台の幅の狭い担架が車輪をキーキー鳴らしながら進んでいった。まわりには四人の看守がいて、担架を押すか引き、その上にくくりつけられた未決囚は拘束から逃れようと身をよじっていた。

男の叫び声が打ちっぱなしのコンクリートの床と軽量コンクリートブロックの壁にあたって反響した。叫び声の大きさは車輪の軋《きし》む音をかろうじて上回るていどだったが、キーキーという金属音に劣らぬほど甲高い金切り声だった。

「答えろ、おい！　何をするつもりだ？　おれは病気じゃない！　だれの命令でおれを連れて行くんだ？」

看守たちは答えなかった。受け持つ被収容者が悪態をついて出した命令にしたがうのは、遵守《じゅんしゅ》しなければならない職務項目に完全に違反することだった。看守たちは黙って担架の車輪を転がしつづけ、廊下を進んでいった。そして鉄格子《てつごうし》の隔壁にたどり着くと、足をとめ、その真ん中のゲートのロックがはずれるのを待った。ガシャンという大きな音がしてゲートがひらき、看守たちは未決囚を乗せた担架を押して通り抜け、ふたたび車輪をガラガラ、キーキー言わせて進みはじめた。

担架にくくりつけられている男が言ったことは真実ではなかった。彼は病気だった。この〝地獄穴〟の鉄格子のなかでほんのわずかでも過ごした者はみな例外なく、病気になってしまう。この男は気管支炎のほかに白癬《はくせん》も患《わずら》っていた。

その健康状態は塀の外の一般市民にとってはゾッとするものだろうが、同房者の大半のそれより悪いということはなく、被収容者としてごくふつうの状態だった。だから この男が、真夜中に雑居房から引きずり出されたのは病気の治療を受けるためではない、と恐れたのも無理はない。このていどの病気なら同じ建物内のほとんど全被収容者がかかっているのである。

男はまたしても四人の看守に金切り声をあげ、またしても無視された。

ここ〈マトロースカヤ・チシナー〉にもう八カ月以上もいるというのに、三六歳になるヴァレンティン・コヴァレンコはまだ無視されることに慣れていなかった。ここに拘禁される前は、海外諜報《ちょうほう》を担当するロシア対外情報庁（SVR＝スルージバ・ヴニエーシニイ・ラズヴィエートキ）のロンドン副駐在官《レジデント》だったので、問えばすぐに答えが返り、命じれば即、実行される、ということにすっかり慣れてしまっていたのである。彼は二〇代前半からSVRの〝期待の星〟となり、三〇代半ばでロンドン支局のナンバー2という高みに達してしまったのだ。ところが、数カ月前、仕事がらみの大博打《おおばくち》をして完敗し、輝く昇竜から一転、落下する石になってしまった。

一月にモスクワのミチノ地区の倉庫で対内保安機関員たちに逮捕されて以来、彼は大統領府が出した行政命令によってこの拘置所に拘禁されつづけている。そして、これまでに会った数少ない施設職員からこう言われていた。裁判は遅れる。遅れつづける。だから、数年は監房で暮らさざるをえないと覚悟しておけ。そのうち、運がよければ、すべて許されて家へ帰れるということもありうる。だが逆に、東方の遠隔地に送られ、ロシア矯正労働収容所のひとつで服役することを命じられる可能性もないわけではない。

もしそうなったら死刑宣告を受けるに等しい、とコヴァレンコにもわかっていた。

だがいまは、一〇〇人ほどが詰めこまれている雑居房にいて、昼はわずかなスペースを奪い合い、夜は交代で虱だらけの簡易ベッドで眠る、という日々を過ごしている。病気、諍《いさか》い、絶望に、毎日、毎時間、たえまなく悩まされる。

同房者たちからコヴァレンコが聞いたところによると、賄賂《わいろ》や政治家の不正介入によって裁判手続きを早められない者の場合、判事に会うのに平均二年から四年待たされるという。ヴァレンティン・コヴァレンコは、自分の場合は二年から四年なんて待っていられないとわかっていた。同房者たちにロシア諜報機関の元高官だと知られてしまったら、二分から四分のうちに殴り殺されるに決まっていたからだ。

〈マトロースカヤ・チシナー〉の被収容者のほとんどは政府大好き人間ではないのだ。この〝素性を知られたら報復の対象となり殺される〟という恐怖は、塀の外のコヴアレンコの敵たちによってうまく利用されていた。とりわけそれから利益を得ていたのは、対内保安機関であるロシア連邦保安庁（FSB＝フィヂラーリナヤ・スルージバ・ビザパースナスチ）だ。その恐怖のおかげで、彼らにとって都合の悪い未決囚であるコヴァレンコに、拘置所に入っているあいだずっと口をしっかりと噤《つぐ》ませることができたからである。

ここに拘禁されて最初の一、二カ月、コヴァレンコは混乱し取り乱した妻にときどき接触することを許されたが、短い電話でも面会でも、すべてもとどおりになるから心配することは何もないと言うことしかできなかった。

だが、そのうち妻は面会に来なくなり、しばらくして電話もかけてよこさなくなった。そして、それからすこししてコヴァレンコは、妻が婚姻関係の解消と子供の完全な親権を求める書類を提出したことを、〈マトロースカヤ・チシナー〉の副所長から教えられた。

だが、それは最悪の知らせではなかった。コヴァレンコの裁判手続きを進めている者などひとりもいないという噂《うわさ》が、彼のところにまで洩《も》れ伝わってきたのである。だれも弁護の準備をしていないというのもがっくりくる話だが、だれも訴追手続きをはじめていないという事実はもっと不吉で恐ろしい。こうして檻《おり》のなかに入れられたまま、腐りゆくしかないということだからだ。

おれはすぐに病気で死んでしまう、六カ月ももたないんじゃないか、とヴァレンティン・コヴァレンコは恐れていた。

担架が右にまがり、埋め込み式の天井灯の下を通過しはじめたとき、コヴァレンコは看守たちの顔を見た。見たことのない者ばかりだったが、ほかのスタッフと同じくらいロボット然としているようにコヴァレンコには思えた。こんなやつらからは有用な情報なんて引き出せないとわかっていたが、彼は膨れ上がるパニックを抑えこめず、ふたたび金切り声をあげた。またしてもゲートをくぐり抜け、監房区画から管理区画へと引っぱられていったからだ。

すぐに担架は施設の医務室に入っていった。

ヴァレンティン・コヴァレンコはこれから何が起こるのか知っていた。こういうことも起こるのではないかと前から考えていた。これは予想していたことだ。そうしろと言われれば、その詳細なシナリオをみずから書くこともできる。深夜にたたき起こす。革の拘束具で担架にくくりつける。キーキー鳴る車輪。押し黙った看守。施設の深奥《しんおう》部への移動。

おれは処刑されるのだ、とコヴァレンコは思った。秘密裏に、法を無視して、敵がおれを〝心配リスト〟から取り除こうとしているのだ。

だだっ広い医務室に医師、看護師、施設職員の姿はなく、いまそこにいるのは担架を転がしてきた男たちだけだった。これでコヴァレンコは不安の的中を確信した。彼は前に一度ここに連れてこられたことがあった。看守にゴム製の警棒で殴られ、顔にぱっくりあいた傷口を縫ってもらわなければならなくなったときのことだ。そのときは、夜遅かったにもかかわらず、医務室にはかなりの人がいた。

ところがどうだ、今夜はだれかが目撃者をなくす工作をしたかのようではないか。ヴァレンティン・コヴァレンコは手首と足首を革のストラップから解き放とうともがいたが、徒労に終わった。

四人の看守は担架を診察室のなかへ入れた。そこにも人はいないようだった。看守たちは後ずさりして出ていき、ドアを閉め、担架にくくりつけられた無力なコヴァレンコを薄暗い部屋のなかに残していった。四人が出ていこうとしたとき、コヴァレンコはもういちど金切り声をあげたが、むろん無益なことだった。だが、ドアが閉まると、彼は薄暗い診察室のなかを見まわした。右手に仕切りカーテンがひとつあった。

そしてその背後から何かが動く音が聞こえてきた。

い、いる。

だれかいる。

ヴァレンティン・コヴァレンコは声をあげた。「だれだ、そこにいるのは？」

「おまえこそだれだ？　ここは何をするところだ？」しわがれた男の声が問い返した。男は仕切りカーテンのすぐ向こうにいるようだった。たぶん同じように担架にくりつけられているのではないか。

「まわりを見てみろ、アホ野郎！　ここは医務室だ。おまえはだれなんだと、おれは訊《き》いている！」

カーテンの向こうの男が応《こた》える前に、ドアがひらき、二人の男が入ってきた。二人とも白衣を着ていて、コヴァレンコよりも年嵩《としかさ》だった。五〇代、とコヴァレンコは見当をつけた。初めて会う者たちだったが、医師だろうと彼は思った。

二人とも緊張しているようだった。

どちらの医師も、通りすぎるとき、ドアのそばの担架にくりつけられているコヴァレンコに目をやりさえしなかった。彼らは仕切りカーテンを壁まで完全に引いて、いままで隠されていた場所がコヴァレンコにもしっかり見えるようにした。ほのかな明かりで担架に横たわる男が見えた。その第二の囚《とら》われ人は肩から下の部分をシーツでおおわれていたが、手足はコヴァレンコとほとんど同じように担架にくりつけられているにちがいなかった。

その囚徒はいまや医師たちを見つめていた。「何なんだ、これは？　おまえら、何者だ？」

ヴァレンティン・コヴァレンコは訳が分からなかった。いったいこの男のどこが悪いのか？《おまえこそ、何者なんだ？》こいつは自分がいまいる場所がどこなのかも、二人の男たちがだれなのかも、わかっていない？　いや、こう問うたほうがいい――《いったいぜんたい何がはじまるのか？》

「いったいぜんたい何をするつもりだ？」コヴァレンコは年嵩の二人の男たちに向かって叫んだ。

だが、二人は無視し、担架にくくりつけられているもうひとりの囚われ人の足もとまで歩いていった。

医師のひとりが、肩にかけていた黒いキャンヴァス・バッグのなかに手を入れ、注射器を一本とりだした。薄暗がりのなかでも、医師の手がふるえ、顎《あご》が張りつめているのが、コヴァレンコにも見てとれた。医師は注射器のキャップをポンとはずすと、シーツを持ち上げて囚徒の素足を剝《む》き出《だ》しにした。

「くそっ、何をする？　さわるな、やめろ……」囚われ人は叫んだ。

医師が男の足の親指をつかむのを、コヴァレンコはゾッとして見まもった。いったい何がはじまるというのだ？　コヴァレンコは訳が分からず、すっかりうろたえ、素早く囚われ人を見やった。男の顔にも激しい動揺の表情が浮かんでいた。男も訳が分からず、うろたえているにちがいない。

医師が注射器の針を囚徒の足の親指の先にあてて爪《つめ》と皮膚を分けるのにすこし時間がかかった。だが、針が爪と皮膚のあいだに入るや、医師はそれをグッと爪の下の奥へと刺しこみ、プランジャーを押した。

男は恐怖と痛みで悲鳴をあげた。コヴァレンコはそのさまを見つめるしかなかった。「何だ、それは？」ヴァレンティン・コヴァレンコは詰問《きつもん》した。「その男に何をしているんだ？」

針を親指から抜くと、医師は注射器をバッグにほうりこみ、針を刺した部分をアルコール・パッドでぬぐった。そして同僚とともに、二つの担架の足のほうに立った。二人とも目をコヴァレンコの右に横たわる男からすこしも逸《そ》らさなかった。

隣の担架の男がおとなしくなったことにコヴァレンコは気づいた。彼は男の顔をもういちど見やった。そこには相変わらず〝訳が分からない〟という表情が浮かんでいたが、見るまに顔がゆがみはじめた。突然、激痛に襲われたという感じだ。囚徒は食いしばった歯のあいだからうめき声を出した。「おまえら、何をしたんだ、このおれに？」

二人の医師は突っ立ったまま男を見まもりつづけた。顔は緊張で強張《こわば》っていた。

さらに何秒かすると、隣の担架の男は縛られた手足をバタバタさせてのたうち、腰を高く上げ、顔を左右に激しく振りはじめた。

ヴァレンティン・コヴァレンコは声をかぎりに助けを求めた。

苦痛にゆがむ男の口から、泡と唾《つば》が噴き出し、次いでしわがれたうめき声が飛び出した。まるで体内に注入された毒を追い出そうとするかのように、男は革の拘束具で固定された手足をできるかぎり懸命に動かし、激しく身もだえしつづけた。むろん無駄な抵抗だった。

死ぬのに一分かかった。苦痛にまみれた緩慢な死だった。動きがとまり、革のストラップで担架にくくりつけられたままの男の体がねじれた状態で静止すると、コヴァレンコは男の大きく見開かれた目にじっと見つめられているような気がしてきた。

元SVRロンドン副駐在官《レジデント》は医師たちのほうへ目をやった。さんざん叫んだせいで声がかすれていた。「何をしたんだ？」

バッグを肩にかけている男が、コヴァレンコの担架の足のところまで歩いていって、バッグのなかに手を突っ込んだ。

そのあいだに、もうひとりの男がシーツを引っぱってコヴァレンコの脚から下を剝き出しにした。

コヴァレンコはまたしても思い切り叫んだ。声が上ずり、舌がもつれた。「いいか、よく……よく聞け！　聞くんだ！　おれに……おれにさわるな！　仲間がおまえたちに金を払う……金をやる……でないと殺すぞ、もし――」

ヴァレンティン・コヴァレンコは不意に叫ぶのをやめた。拳銃《けんじゅう》を見たからだ。

医師がバッグからとりだしたのは、注射器ではなくステンレス・スチール製の小型セミオートマチックだった。そしていま、その銃口をコヴァレンコに向けている。もうひとりの男が担架のそばに歩み寄り、自分よりも若いロシア人の腕と脚を固定していた拘束具をはずしはじめた。コヴァレンコはおとなしく横たわっていたが、噴き出した汗が目に染《し》み、汗で濡《ぬ》れたシーツのせいで寒気をおぼえた。

彼は目を瞬《しばた》かせて汗を払い、突きつけられた銃をじっと見つめつづけた。

銃を持たないほうの医師は、コヴァレンコの体を拘束していた革のストラップをはずし終えると、同僚のそばへともどっていった。コヴァレンコは、両手をすこしだけ上げたまま、人を殺したばかりの男のふるえる手のなかにある拳銃から目を離さずに、担架の上でゆっくりと上体を起こしていった。

「何がしたいんだ?」コヴァレンコは問うた。

どちらの男も口をひらかなかったが、拳銃——ようやくコヴァレンコにもワルサーPPK/Sとわかった——を持つ男が、小型セミオートマチックの銃身をポインター代わりにピクッと動かし、床に置かれたキャンヴァス製のダッフルバッグを指し示した。

ロシアの未決囚は担架から滑るようにして降り、バッグのそばにひざまずいた。拳銃からなかなか目を逸らせられなかったが、銃に張りついていた視線をなんとか剝《は》がし、バッグのなかをのぞきこんだ。着替え一式とテニスシューズ一足が入っていた。コヴァレンコは顔を上げて年嵩の男たちを見つめた。彼らは何も言わずにうなずいた。

ヴァレンティン・コヴァレンコは囚人服をぬいで、くたくたのブルージーンズと体臭のような臭《にお》いがする茶色のプルオーヴァーを身につけはじめた。二人の男たちは黙って見まもっている。「どういうことなんだ?」着替えながらコヴァレンコは訊いた。だが、二人は口をひらこうとしない。「よし、わかった。まあ、いいさ」コヴァレンコは答えを得るのをあきらめた。二人が自分を殺そうとしているようにはどうしても見えない。だから彼は二人に沈黙させておくことにした。

この人殺しどもがおれを逃がしてくれる?

二人の医師はコヴァレンコを先に歩かせて医務室から出た。ワルサーの銃口を彼の背中に向けたまま三メートルうしろからついてくる。医師のひとりが言った。「右だ」男の緊迫した声が長くて暗い廊下に反響した。コヴァレンコは言われたとおり右へまがった。そうやって彼らはコヴァレンコを導き、もうひとつ別の静寂につつまれた廊下を進み、階段を下り、ごみ箱であけたままにされた無施錠《せじょう》の鉄のゲートを二つくぐり、大きな鉄の扉にたどり着いた。

拘置所のこの区画を通り抜けるあいだ、コヴァレンコは二人の医師以外の人影をまったく見なかった。

「ノックしろ」医師のひとりが指示した。

ヴァレンティン・コヴァレンコは拳《こぶし》で鉄の扉を軽くたたいた。

彼はそのまましばらく突っ立っていた。あたりはしんと静まりかえっていて、自分の胸のなかで暴れる心臓の音と、気管支炎のせいで呼吸時に起こるゼーゼーという喘《ぜん》鳴《めい》しか聞こえない。コヴァレンコは眩暈《めまい》をおぼえた。体は弱りきり、体力など皆無に等しかった。だから、この〝脱獄〟——というか、いま進行しつつあるこの訳の分からないこと——が、走ったりジャンプしたり登ったりすることをまったく必要としないものであるようにと、心の底から願った。

さらに数秒待ってから、体をうしろにまわして背後にいる男たちのほうを向いた。

二人の姿はなく、廊下に人の気配はなかった。

閂《かんぬき》がはずれる音がし、鉄の扉が古い蝶番《ちょうつがい》を軋《きし》ませながらひらき、ロシアの未決囚は本物の外気にふれた。

ヴァレンティン・コヴァレンコがこの八カ月のあいだにふれられたのは〝半外気〟とも言うべきもので、それも合わせて数時間のあいだだけだった。週に一度、建物の屋上にある運動場に連れていかれたのだが、そこでは錆《さ》びた格子《こうし》状の金網を通してしか空をおがめなかった。だが、いまや彼は、自由への縁に立ち、暖かい未明の微風に顔をなでられている。なんという爽《さわ》やかさ！　それは彼がこれまでの人生で味わった最も素晴らしい感覚だった。

金網も堀も監視塔もなく、犬もいない。目の前にあるのは小さな駐車場だけ。しかも、向かいの壁にそってとまっているのは、2《ツー》ドアの民間の車が二、三台のみ。そして、右手に、暗い街灯で見渡せるかぎり遠くまで延びている土埃《つちぼこり》におおわれた通り。通り名標識にУлица《ウーリツァ》 Матросская《マトロースカヤ》 Тишина《チシナー》（マトロースカヤ・チシナー通り）とあった。

コヴァレンコはもはやひとりではなかった。外から扉をあけてくれた若い警備官がひとりそばにいた。ただ、扉の上に据え付けられている照明器具の電球がソケットからはずされていたので、彼は警備官をほとんど見ることができなかった。警備官はコヴァレンコの横を歩いて通り過ぎ、拘置所の敷地内に入ると、彼を外に押しやり、扉を引いた。

ガチャンという音を立てて扉が閉まり、内側から閂式の錠がかけられた。

こうして、いともあっさりヴァレンティン・コヴァレンコは自由の身になった。

およそ五秒のあいだだけ。

通りの向かい側にエンジンをアイドリングさせてとまっている黒塗りのBMW7シリーズ高級《ラグジュアリー》セダンが目に入った。ライトはすべて消されているが、排気管から排出される熱が立ちのぼって、上の街灯の明かりを乱している。それが唯一《ゆいいつ》の人の気配だったので、コヴァレンコはゆっくりとその車のほうへ向かって歩きはじめた。

BMWのバックシートのドアが、手招きするかのようにひらいた。

ヴァレンティン・コヴァレンコは小首をかしげた。どうやら相手は芝居がかったことがお好きなようだ。えらい目に遭ってきたおれに、こんな仕掛けなんて必要ないだろうが。

元スパイは歩くスピードを速め、通りをわたってBMWに達すると、素早く自分の体を車内に押しこんだ。

「ドアを閉めろ」暗闇《くらやみ》から声が飛び出した。バックシートのルームライトも消されていて、フロントシートとのあいだにはスモークガラスの隔壁があった。コヴァレンコは奥のドアにもたれるようにして座っている人影に気づいた。ほとんどこちらを向いている。横幅がかなりある大男だということはわかるが、顔立ちなどはまったくわからない。実は友人の顔があらわれるのを期待していたのだが、コヴァレンコはほぼ即座に知らない男だと確信した。

コヴァレンコがドアを閉めると、BMWはゆっくりと発進した。赤いほのかな明かりが車内のどこかで灯り、その光源の位置はわからなかったものの、バックシートに座る大男のようすが前よりはよく見えるようになった。男はコヴァレンコよりずっと年上で、頭部が大きく、ほとんど四角、目は落ちくぼんでいた。そして、ロシアの犯罪組織の幹部に共通する、非情な無法者の風貌《ふうぼう》と異様な貫禄《かんろく》があった。

コヴァレンコはがっかりした。窮地におちいった自分に同情した元同僚か官僚が、拘置所から救い出してくれた、という筋書きを期待していたのだ。ところが、わが救世主はマフィアだったのだ。あらゆることを勘案すると、そうとしか思えない。

二人は何も言わずに睨《にら》み合った。

先にこの睨めっこにうんざりしたのはコヴァレンコだった。「おれはあんたがだれだか知らない。だから何て言ったらいいのかわからない。『ありがとう』と言うべきか、それとも『なんてこった、あんたでは困る』と言うべきか？」

「おれは重要人物ではない、ヴァレンティン・コヴァレンコ」

コヴァレンコはサンクト・ペテルブルク訛《なま》りに気づいた。それでこの男が犯罪組織の一員であることがさらに確かになった。サンクト・ペテルブルクは組織犯罪の温床なのだ。

男はつづけた。「ある勢力が、金銭など貴重な資産を惜しげもなく投入して、おまえを国家に対する義務から解放した。おれはその勢力の代理人だ」

ＢＭＷ７シリーズは南へ向かっていた。それは見えては消える通り名標識でコヴァレンコにもわかった。彼は言った。「ありがとう。それから、あんたのその仲間たちにも感謝する。おれはもうどこへでも自由に行けるのかな？」そんなわけはないと思っていたが、会話をもうすこしスピードアップして、さまざまな疑問を早いところ解消しておきたかった。

「おまえに自由があるとすれば、拘置所にもどる自由だけだ」男は肩をすくめた。

「それが嫌なら、新たな後援者のために働かなければならない。おまえは拘置所から釈放されたわけではない。逃亡しただけだ」

「あんたらが未決囚をひとり殺したとき、そうだろうとは思った」

「あいつは未決囚ではない。鉄道の操車場で捕まえた酔っぱらいだ。検死解剖は行われない。あいつはおまえの身代わりになった。おまえは医務室で死んだのだ。死因は心臓発作。だが、おまえは絶対にもとの生活にもどることはできない」

「つまり……おれもこの犯罪に係ったことになる？」

「そうだ。だが、これがおまえの刑事裁判に影響するんじゃないかなんて思うなよ。裁判なんてもともとないんだ。おまえの未来は二つしかなかった。収容所《グラーグ》送りになるか、あそこの医務室で殺されるか、二つにひとつだった。いいか、〈マトロースカヤ・チシナー〉での秘密処刑は珍しいことではないんだ」

「おれの家族はどうなる？」

「おまえの家族？」

コヴァレンコは首をかしげた。「そうだ。リュドミラと娘」

四角いブロックのような顔をした男は言った。「ああ、ヴァレンティン・オレゴヴィッチ・コヴァレンコの家族のことか。彼は未決囚として〈マトロースカヤ・チシナー〉拘置所で心臓発作を起こして死んだんだ。だから、おまえはコヴァレンコではない。おまえには家族なんていない。友だちもな。おまえには新しい後援者しかいない。今後おまえは、命の恩人である後援者に忠誠を尽くすんだ。それがおまえの唯一の存在理由になる」

するとおれは家族を失い、ギャングが新しい家族になるというわけか？　冗談じゃない。コヴァレンコは顎をぐいと上げ、肩をうしろへ引いて胸を突き出し、言った。「イヂ・ナ・フイ」これは英語には翻訳不能のロシアの下品な悪態だが、強いて言えばファック・ユーに近い。

ギャングは拳でフロントシートとの隔壁をたたいてから言った。「考えてもみろ、おまえを見捨ててガキと生きることにした女《あま》が、家の戸口にあらわれたおまえを見て果たして喜ぶかな？　なにせ、おまえは警察から逃げまわっている殺人犯、ロシア政府《クレムリン》が抹殺しようとしている男だ。明日、おまえが死んだことを知って、女房は大喜びするに決まっている。もう拘置所にいる夫に煩《わずら》わされずにすむんだからな」

ＢＭＷはスピードを落とし、ゆるやかにとまった。ヴァレンティン・コヴァレンコは、ここはどこだろうかと、窓の外に目をやった。黄色と白に塗られた長い塀が見えた。外に出て最初に見た〈マトロースカヤ・チシナー〉拘置所の塀だ。

「ここで降ろしてもいいんだ。おれはおまえがかつてどういう人間だったか知っている。ロシア諜報《ちょうほう》界の若き輝ける星だ。だが、それはもう過去のこと。おまえはもうおれに『イチ・ナ・フイ』と言える人間じゃない。おまえはロシアの犯罪者、世界の無法者だ。おれが雇い主に『イチ・ナ・フイ』とおまえに言われたと告げれば、彼はおまえを放り出す。おまえは自力で生きていかなければならなくなる。それとも、お望みなら、電車の駅まで送ろうか？　家に帰れるように。だが、淫売《いんばい》妻のもとに帰っても、警察に通報されるだけだぞ」

ＢＭＷのコヴァレンコ側のドアがあき、運転手がそのわきに立った。

拘置所にもどることを考えただけで、コヴァレンコは冷や汗が首筋と背中から噴き出すのを感じた。数秒間の沈黙のあと、彼は肩をすくめた。「嫌とは言えない話だな。ここには用はない」

四角張った顔の男は黙ってコヴァレンコを凝視した。顔には何の表情も浮かんでいない。完全な無表情。だいぶたってから男はようやく運転手のほうを見やった。「よし、出せ」

バックシートのドアが閉められ、運転席のドアが開き、閉まった。こうしてコヴァレンコは、五分のあいだに二度も、車に乗って拘置所から遠ざかることになった。

しばらく窓外に目をやり、落ち着きをとりもどそうとした。会話の主導権をにぎって自分の運命をよい方向へ導くには、慌《あわ》てふためいていてはだめだ。

「ロシアにはいられない」

「わかっている。出国の段取りはつけた。雇い主は国外にいる。おまえにもロシアの外で働いてもらう。まずは医者の診察を受け、病気をなおせ。そのあと、まあ、諜報の仕事をつづけてもらうことになる。だが雇い主とは別の地域での活動だ。内容は協力者のリクルート、スパイの運営、後援者の命令の実行。報酬はロシアの諜報機関にいたときよりもずっといい。だが、基本的に単独活動になる」

「雇い主には会えないというわけか？」

がっしりした体軀《たいく》の男は言った。「おれはこの仕事をはじめて二年近くになるが、彼に会ったことがない。彼がほんとうに〝彼〟なのかもわからない」

ヴァレンティン・コヴァレンコは両眉《まゆ》を上げた。「国の機関ではないようだな。だからどこかの国家ではない。となると……一種の違法企業？」そうに決まっていると彼は思っていた。不快ではあったが、ただ大げさに驚いて見せることくらいしかできなかった。

返ってきた答えは、軽いうなずきだけだった。

コヴァレンコは両肩をちょっと沈みこませ、うなだれた。不意に疲れに襲いかかられた。病気のせいもあったし、殺人を目撃し自分の死を考えたせいで血流にあふれ出ていたアドレナリンが引いていったせいもあった。数秒して彼は言った。「つまり、あんたが率いる〝愉快な男たち《メリー・メン》〟――犯罪者集団――の仲間に入るしかないというわけだね」コヴァレンコはロビン・フッドの仲間の無法者グループ〝愉快な男たち《メリー・メン》〟を引き合いに出した。

「組織はおれのものではないし、彼らは愉快《メリー》でもない。作戦の運営方法はそういった類《たぐい》のものではない。おれたち……おまえ、おれ、そのほかの連中も……〈クリプトグラム〉で命令を受け取る」

「〈クリプトグラム〉とは？」

「安全なインスタント・メッセージングを可能にするアプリケーションだ。それで部外者には絶対に読まれない――侵入されない――通信システムを構築できる。通信内容はただちに自動削除される」

「コンピューターでの通信？」

「そうだ」

コンピューターを一台手に入れないと、とコヴァレンコは思った。「では、あんたは《ハ》おれの運営者《ンドラー》ではない？」

大柄のロシア人は首を振った。「おれの仕事は終わった。おれたちの関係はこれで終わりだ。おまえは生きているうちにふたたびおれに会うことはないと思う」

「なるほど」

「おまえがこれから連れていかれる家に、パスポートなど必要な書類と指示が密使《クーリエ》によって届けられる。それは明日になるかもしれないし、もっと遅くなるかもしれない。書類と指示が届いたら、おれの手下がおまえをこの都市《まち》から、そしてこの国から出す」

コヴァレンコはもういちど窓外に目をやった。車はモスクワ中心部へ向かっているのだとわかった。

「ひとつ警告しておく、ヴァレンティン・オレゴヴィッチ。おまえの雇い主——いや、おれたち共通の雇い主と言うべきお方——はだな、あらゆるところに部下を擁している」

「あらゆるところ？」

「だから、やれと言われたことをやらずに逃げたり、協定を破ったりしたら、彼の配下の者たちが必ずおまえを見つけ、ためらうことなく責任をとらせる。彼らはすべてを知っている。すべてを見ることができる」

「わかった」

首から上が四角いブロックそのままの男が初めて笑いを洩らした。「いや、おまえはわかっちゃいない。いま、ここで、わかるはずがない。だが、いいか、おれの言うことを信じろ。どんなときでも、どのような形でもいい、彼らに逆らってみれば、即座にわかる、彼らが〝全知〟であるということがな。そう、神みたいな連中なんだ」

教育もあり洗練されてもいるヴァレンティン・コヴァレンコは、隣に座るこんな薄汚い極悪犯罪人よりも自分のほうがはるかに世の中のことを知っていると思わずにはいられなかった。この男は、しっかり管理・運営される組織で働いた経験などまったくなく、いきなりその外国の雇い主のために働きはじめたにちがいない。だからこんなに大げさなことを言うのだ。新しいボスの力量や力のおよぶ範囲をそれほど強調されても、コヴァレンコはほとんど気にならなかった。なにしろ彼はロシアの諜報機関で働いてきたのだ。なんだかんだ言っても結局、ロシアの諜報機関は一流のスパイ組織なのである。

「もうひとつ警告しておく」

「どうぞ」

「それは、そのうちそうしたくなったら自分で勝手に辞めたり引退したりできる組織ではない。彼らが望むかぎり、おまえは彼らの命令どおりに動かなければならない」

「なるほど」

四角張った顔のロシア人は肩をすくめた。「そうするか、それとも拘置所で死ぬか、二つにひとつだったんだ。それを頭にたたきこんでおけば、すこしは楽にやっていける。一日一日がおまえにとっては天からの贈り物なんだ。だから、せいぜい人生を楽しめ。最大限にな」

コヴァレンコは窓の外に目をやり、うしろへと流れていく未明のモスクワを見つめた。《ブロック頭のギャングにしては、やる気を起こさせる見事な口上だったじゃないか》

ヴァレンティン・コヴァレンコは溜息《ためいき》をついた。

これはSVR時代の生活が恋しくなるぞ。

7

ジャック・ライアン・ジュニアは午前五時一四分に目を覚ました。iPhoneの目覚ましアラーム設定時刻よりも一分早かった。すぐにアラームをオフにした。隣で上掛けシーツにくるまって裸で眠っている女性をしばらく起こしたくなかったからだ。ジャック・ジュニアはロールスクリーンから洩《も》れる光で彼女の寝姿を観察した。ここのところほぼ毎朝そうしている。むろん、彼女には内緒で。

メラニー・クラフトは横向きになってジャックのほうを向いていたが、長い栗色《くりいろ》の髪が顔にかかっていた。柔らかだが形のいい左肩が光を浴びて輝いている。

ジャックは微笑《ほほえ》んだ。もうすこしだけ観察を楽しんでから手を伸ばし、目の上にかかる彼女の髪をかきあげた。

メラニーの目がひらいた。彼女が目を覚まし、まわりのようすを認識して言葉を出すまでに二、三秒かかった。「おはよう《ハイ》」ささやき声だった。

「おはよう《ハイ》」ジャックは返した。

「今日は土曜？」期待と戯《たわむ》れが入り混じった口調で彼女は訊《き》いた。だが、まだ頭のなかにかかる蜘蛛《くも》の巣を手で払いとっているところだった。

「月曜」ジャックは答えた。

メラニーは体をまわして仰向けになった。乳房があらわになった。「ああ、もう。なんでそうなっちゃうの？」

ジャックは彼女を見つめたまま肩をすくめた。「地球の公転のせい。太陽からの距離が関係している。ともかく、そういったこと。小学四年で習ったんじゃなかったかな。詳しいことは忘れた」

メラニーはふたたび眠りに吸いこまれそうになった。

「コーヒーを淹《い》れる」ジャックは言い、ごろりと体を回転させてベッドから出た。

彼女はぼんやりとうなずいた。ジャックが顔からかきあげたばかりの髪がはらりとたれて、また目を隠してしまった。

五分後、二人は、メリーランド州コロンビアにあるジャックのアパートメントの居間のソファーに仲良く座り、マグを口に運んで湯気の立つコーヒーを飲んでいた。ジャックはトラックパンツにジョージタウン大学のTシャツという格好、メラニーはバスローブ姿だった。彼女はこのジャックのアパートメントに服や身の回り品をたくさん持ちこんでいた。それは週を追うごとにどんどん増えていったが、彼はまったく気にしていなかった。

なにしろメラニーは美しく、ジャックは彼女に心を奪われていたからだ。

二人はこの数カ月、お互い決まった恋人としてステディーな関係をつづけ、デートを重ねてきた。ジャックにとってはすでに、そうした関係の最長記録となっている。彼はメラニーをホワイトハウスにも連れていった。二、三週間前のことで、むろん、両親に会わせるためだ。そのときジャックとメラニーは報道機関の目のとどかない居住施設にこっそり案内され、プレジデンツ・ダイニング・ルームのすぐ近くにあるウエスト・シッティング・ホールで、ジャックはガールフレンドを母親に紹介した。二人の女性は華麗な半月形の窓のそばのソファーに座り、メラニーが住むアレクサンドリアや彼女の仕事のことを話題にしておしゃべりし、彼女のボスであるメアリ・パット・フォーリに双方が敬意を抱いていることでも話が盛り上がった。ジャックはメラニーを見つめてすごし、彼女の物腰と落ち着きに魅了された。もちろん彼は、前にもガールフレンドを何人か実家に連れていき、母《マム》に紹介したことはあったが、彼女たちはふつう、その初対面をふうふう言いながらどうにかこうにか乗り切ったという感じだった。ところが、メラニーときたら、マムとのおしゃべりを心底楽しんでいるふうなのだ。

二人の女性がおしゃべりしている最中《さなか》、ジャックの父親、アメリカ合衆国大統領が、そっと入ってきた。頑固で毅然《きぜん》としていると言われている父親が、息子の才気あふれる美しいガールフレンドを見たとたん、たちまち相好《そうごう》を崩してゼリーのようにぐにゃっとなるのをジュニアは見逃さなかった。ジャック・ライアン・シニアは満面に笑みを浮かべ、嬉《うれ》しそうに冗談を口にした。努めて自分を魅力的に見せようとしている父《ダッド》をながめ、ジュニアは思わずにやにやしてしまった。

彼らはプレジデンツ・ダイニング・ルームでディナーをとり、会話は楽しく弾み、よどみなく流れた。いちばん話さなかったのはジャック・ジュニアだったが、彼はときどきメラニーと目と目を合わせ、笑みをかわした。

質問の大半はメラニーの口から発せられ、彼女は自分についてはできるだけ話さなくてすむようにしたが、それはジュニアにとっては驚きでも何でもなかった。メラニーの母親はすでに他界し、父親は退役空軍大佐で、彼女は子供時代のかなりの期間を外国で過ごした。大統領と大統領夫人に訊かれたとき、メラニーが答えたのはそのくらいのことで、ジュニアが彼女の子供時代について知っているのもそのていどのことだった。

メラニーのホワイトハウス訪問を許可したシークレット・サーヴィスのほうが自分よりもガールフレンドについてよく知っているにちがいない、とジャック・ジュニアは確信していた。

ディナーが終わると、二人はまた、入ったときと同じようにこっそりとホワイトハウスから出ていった。「初めは緊張していたけど、ご両親はお高くとまってなくて親しみがもて、アメリカ合衆国最高司令官とジョンズ・ホプキンズ大学ウィルマー眼科学研究所・外科科長といっしょにいるのだということを、ほとんどの時間、忘れることができたわ」というのが、外に出てからメラニーがジャック・ジュニアに打ち明けた感想だった。

ジャックはバスローブを巻きつけただけのメラニーの体の曲線を目で愛《め》でながら、その夜のことを思い出していた。

メラニーはジャックの視線に気づき、訊いた。「ジム、それともジョギング?」二人は毎朝そのどちらかをしていた。同じベッドで夜を過ごしたあとの朝も、そうではない朝も。メラニーがジャックのアパートメントに泊まったときは、二人でいっしょに同じ建物のなかにあるジムで汗を流すか、近くのワイルド湖をまわってフェアウェイ・ヒルズ・ゴルフコースを突き抜ける三マイルのコースを走った。

ジャック・ライアン・ジュニアのほうがアレクサンドリアにあるメラニーの借家に泊まることはまったくなくなってしまった。最近、泊まりに来るよう誘われることがなくなってしまったことを妙だとは思っていたが、メラニーが言うには「馬車置き場を改造した自分のちっぽけな借家は、ジャックのアパートメントの居間よりも小さくて、なんだか恥ずかしくなっちゃうの」ということだった。

ジャックはこの件にこだわらなかった。なにしろメラニーは人生最高の恋人なのだ。それだけは確かだった。だが、彼女は少々ミステリアスでもあった。自分のことに関してガードするところがあり、ときどき言い逃れをすることさえあった。

それはCIAでの訓練のせいにちがいない、とジャックは思っていたし、それによって彼女の魅力は減るどころかいや増すだけだった。

ジャックが問いに答えずに自分を見つめつづけるだけだったので、メラニーはコーヒーの入ったマグを顔の前に掲げたまま微笑んだ。「ジムなの、走るの、どっちよ、ジャック？」

彼は肩をすくめた。「気温は一六度、雨は降っていない」

メラニーはうなずいた。「では、走るのね」マグをおき、立ち上がって、着替えるために寝室へ向かった。

ジャックは歩いていくメラニーの姿をながめていたが、すぐに彼女の背中に声をかけた。「実はね、今朝は運動のための第三のオプションがあるんだ」

メラニーは足をとめ、振り向いた。口のはしに意味ありげな笑みが浮かんでいた。

「へえ、どんなオプションかしら、ミスター・ライアン？」

「科学者によれば、セックスはジョギングよりもカロリーを消費する。心臓にもいい、走るよりもね」

メラニーは両眉《まゆ》を上げた。「科学者がそう言っているの？」

ジャックはうなずいた。「そう」

「でも、やりすぎの危険がつねにつきまとうわよ。精力を使いすぎて燃え尽きちゃう」

ジャックは笑い声をあげた。「ありえない」

「それなら――」メラニーは前をひらいてバスローブを堅木の床に落とした。そしてまたクルッと背を向け、真っ裸のまま歩いて寝室に入った。

ジャックは残っていたコーヒーをごくごく飲み干し、立ち上がってメラニーのあとを追った。

今日はいい日になりそうだ。

七時三〇分、メラニー・クラフトはシャワーを浴びて通勤服に着替え、ハンドバッグを肩からかけてジャックのアパートメントのドア口に立った。長い髪をうしろでポニーテイルにまとめ、サングラスを頭にのっけていた。彼女はジャックにさよならのキスをしたが、それがまた「離れたくない、すぐにまた会いたくてしかたない」と彼にもわかるような長い熱烈なものだった。キスを終えると、メラニーはエレベーターのほうへと廊下を歩いていった。仕事場のあるヴァージニア州マクリーンまでの通勤はあんがい時間がかかる。メラニー・クラフトはCIA分析官で、最近、出向中の国家テロ対策センター（NCTC）から、リバティ・クロシングと呼ばれる同じ敷地のなかにある——駐車場ひとつ隔てただけの——国家情報長官府へ異動になった。ボスのメアリ・パット・フォーリがNCTC副所長から閣僚級の国家情報長官へ昇進したのにともなう異動だった。

ジャックはまだ着替えを半分ほどしかすませていなかったが、通勤には時間がかからないので心配する必要はなかった。彼の仕事場はずっと近く、車でウエスト・オーデントンの道をすこし走るだけで着いてしまう。だから、スーツを身に着けネクタイを結んでも、もう一杯ぐずぐずコーヒーを飲みながら、居間の六〇インチのプラズマテレビでCNNのニュースを見た。そして八時ちょっと過ぎ、階下へ向かい、アパートメントの駐車場まで下りると、カナリア色の大型SUV、ハマーを探そうとする衝動をなんとか抑えこみ、六カ月前から乗っている黒のBMW3シリーズに乗りこんで外の通りへ出た。

鮮やかな黄色のハマーを乗りまわすのは楽しかった。それは自分の個性と心意気を表現するジャックなりの方法だった。だが、個人《パーソナル》セキュリティの観点から見ると、それは三トンの自動追尾《ホーミング》ビーコンを運転するようなものだ。ワシントンDCおよびその周辺の環状高速《ベルトウェー》で、ハマーに乗った彼を尾行しようとする者はみな、ふつうの車をターゲットにしたときに必要となる距離の三倍も離れていても、簡単に尾《つ》けることができるはずである。

ジャックの場合、一週七日／一日二四時間、つまりいついかなるときも、警戒を怠ってはいけない職業に就いているのだから、自分の身を護《まも》るのに不可欠なこういうことくらい自分で考えなければいけないのだが、実際には目立つカナリア色の〝標的〟に乗るのはまずいと判断したのは彼自身ではなかった。

その判断は、丁重だが強い表現による提案という形でアメリカ合衆国シークレット・サーヴィスから彼に伝えられたものだった。

ホワイトハウスのオーヴァル・オフィスを執務室とする現職大統領の成人子女にも通常つけられるシークレット・サーヴィス警護班をジャックは拒否したものの、父親の警護班にほとんど強制的に個人講習を何度も受けさせられ、警護官から身の安全を護るための助言をいろいろ受けた。

母親と父親はむろん、警護なしの生活をする息子を心配したが、二人ともジュニアが拒否せざるをえない理由を知っていた。ジャック・ライアン・ジュニアが職業としてやっていることを、肩をいからす警護官を両脇《わき》にしたがえてやるというのは、控えめに言っても問題だろう。シークレット・サーヴィスはジャック・ジュニアの拒否には不満だった——だが、言うまでもなく彼らも、ジュニアが頻繁に危険に身をさらしている可能性があると知るだけで、不満どころか、とてつもなく大きな不安に苛《さいな》まれることになるはずだ。

彼らが自分を目立たなくする必要性をジャックに説明し、その方法に関するヒントや助言を与えた講習で、真っ先に問題となったのが黄色い大型SUVのハマーだった。だから、まず最初にハマーに乗るのをやめざるをえなくなった。

もちろんジャックはその理由を理解できた。黒のBMW《ビーマー》ならそこらにいくらでも走っているし、新たに手に入れたその車の窓ガラスは色つきで、運転者の姿はさらに見えにくい。それに、顔を変えるよりも車を変えるほうがはるかに簡単であることはジャックにもわかっていた。彼はいまだにアメリカ合衆国大統領の息子という風貌《ふうぼう》をしていて、美容整形手術でも受けないかぎり、それについてはたいしたことはできない。ジャックは世間に知られている。それをどうこうすることはできない。ただ、彼はセレブの域にはほとんど達していない。

父《ダッド》は政界入りして以来、母《マム》とともに、ジャック・ジュニアをはじめ男の子供も女の子供もできるだけカメラの前に出さないようにしてきたし、ジュニア自身も、大統領候補補や大統領の子供に課された半公務とも言うべき公《おおやけ》の場への顔出しはしてきたものの、それ以外のことで注目を集めるような真似《まね》は一切しないよう、行動を厳に慎んできたのである。アメリカに数万人はいそうなB級セレブやリアリティTV番組スター志望者とはちがって、ジャックは〈ザ・キャンパス〉での極秘活動にいそしむ以前から、有名になっていいことなんてひとつもないと考えていた。

自分には友人も、家族もある。見知らぬたくさんの人々に自分がだれだか知られている、なんてことをなぜ望まなければならないのか？　ジャックはそう思っていた。

父親の大統領選勝利宣言の夜と、二カ月ほど前に行われた大統領就任式のさいをのそげば、ジャックの顔がテレビに映るということはここ何年ものあいだない。ジャック・ライアン大統領にだれもが〝ジュニア〟と呼ぶ息子がいることは、ふつうのアメリカ国民なら知っているが、長身で、髪の黒っぽい、顔立ちの整った二〇代半ばから後半のアメリカ人男性を何人か並べた面通しで、しっかりジャックを指させる者はそうはいないはずだ。

ジャックはこの状態をつづかせたいと思っていた。そのほうが何かと都合がよいし、死なずにすむ確率も高まるはずだからである。

8

ジャック・ジュニアの仕事場である九階建てのオフィスビルの外にある社名板には、Hendley Associates（ヘンドリー・アソシエイツ社）と書かれているが、その社名からビルのなかで行われている仕事をうかがい知ることはまったくできない。当たり障《さわ》りのない文字デザインも、建物そのものの穏やかな外観によくマッチしている。そのビルはアメリカ中にそれこそ無数に存在する何の変哲もないオフィスビルとすこしも変わらないように見える。車で前を通りしなにチラッと見やる者はみな、信用協同組合《クレジット・ユニオン》事務所、電気通信会社の管理センター、人材バンク、広告代理店といったものではないかと思う。屋上に衛星通信用のパラボラアンテナ群があり、建物の横にもフェンスで囲まれたアンテナ・ファームがあるが、どちらも通りからはほとんど見えない。たとえそれらに気づく者がいたとしても、ふつうの通勤者なら、異常なものとは思わないだろう。

それでも、一〇〇万人にひとりくらいは、この会社を調べてみようという気を起こすかもしれない。しかしその場合も、ヘンドリー・アソシエイツ社はDC大都市圏のあちこちにたくさん存在する国際金融会社のひとつにすぎないということを知るだけだし、元アメリカ合衆国上院議員が所有し社長も務めている会社であるという新たな事実にも突き当たるはずである。

だが、言うまでもなく、道路沿いに建つ煉瓦《れんが》とガラスのビルの内部には、きわめて特殊な活動をしている組織が隠れている。ビルの外部には、低いフェンスと数台の有線防犯カメラくらいの保安《セキュリティ》設備しかないが、建物の内部では、〝ホワイト・サイド〟の金融取引の裏で、アメリカの情報機関コミュニティでも信じられないほど少数の者しか知らない〝ブラック・サイド〟の諜報《ちょうほう》活動が日々おこなわれているのである。しかも、〈ザ・キャンパス〉という非公式名を与えられたその超極秘民間スパイ機関は、何年も前に一期目のジャック・ライアン大統領によって構想されたものだった。そしてその機関をライアン自身が情報機関コミュニティのごく少数の盟友たちと立ち上げ、ジェリー・ヘンドリー元上院議員とともにその活動の方向性を定めた。

〈ザ・キャンパス〉は現在、情報機関コミュニティでも最も優秀な情報分析員や、最高水準のテクノロジー専門家を何人もかかえていて、屋上の衛星通信用アンテナとIT部の暗号解読者のおかげで、CIA（中央情報局）とNSA（国家安全保障局）のコンピューター・ネットワークに簡単に入りこめ、情報を自由に閲覧できる。

さらに、隠れ蓑《かくみの》となっているヘンドリー・アソシエイツ社が成功しているが目立たない金融取引会社なので、〈ザ・キャンパス〉は得られた利益を秘密諜報工作活動に投入でき、その資金をすべて完全に自前でまかなっている。そして実は、株式、債券、通貨を巧みに選んで大きな利益をあげられるのは、かなりのていど、情報機関コミュニティからこの建物に毎日流れこむ何ギガバイトもの未処理諜報《ロー・インテリジェンス》データのおかげなのである。

ジャック・ライアン・ジュニアは社名板の横を通りすぎて敷地に入り、駐車場に車をとめると、革のメッセンジャーバッグを肩からかけてロビーのなかに入っていった。警備デスクの向こう側に〈チェインバーズ〉と書かれた名札を上着につけた警備員が立っていて、にっこり微笑《ほほえ》んだ。

「おはよう、ジャック。奥さん、元気？」

「おはよう、アーニー、いまだ未婚」

「では、明日またチェックします」

「はーい」

これは二人のあいだで毎日かわされるジョーク。ただ、ジャックはこの冗談にはあまり乗れない。

ジャックはエレベーターに向かった。

アメリカ合衆国大統領の長男、ジャック・ライアン・ジュニアは、ここヘンドリー・アソシエイツ社で働きはじめてもう四年近くになる。表向きの地位は投資運用副管理者だが、仕事の大部分は対テロ情報分析。いや、いまでは仕事はそれにとどまらず、現場での任務遂行にもおよんでいて、彼は〈ザ・キャンパス〉の五人の工作員のひとりになっている。

この三年、現場での実戦——たくさんの実戦——にも参加してきたが、イスタンブールからもどったあとの工作員としての活動というと、ドミンゴ・シャベス、サム・ドリスコル、ドミニク・カルーソーとおこなった数少ない訓練だけだった。

彼らは〈道場《ドージョー》〉で格闘技のスキル向上に取り組むとともに、メリーランド州やヴァージニア州にある室内および屋外の射撃練習場で、鈍《なま》りやすい射撃の腕を可能なかぎりシャープな状態に保とうとした。そして、監視術と監視から逃れるテクニックをさらに磨いた。具体的には、車でボルティモアまで北上するかワシントンDCまで南下し、混雑した都市の喧騒《けんそう》のなかに潜りこみ、〈ザ・キャンパス〉の教官を尾《つ》けるか、自分にぴったり貼《は》りつく尾行者を演じる教官を撒《ま》こうとした。

それは魅惑的な訓練であり、必要とあらば世界のどこへでも飛んでいって攻撃作戦を実行し、命を危険にさらさなければならない男たちにとっては、きわめて実用的な修行だった。だがそれはあくまでも訓練であり、現場での実戦ではない。ジャック・ジュニアは、射撃練習場や〈道場〉での訓練に励んだり、夕方近くにはいっしょにビールを一杯やる相手と追っかけっこをしたりするために、ヘンドリー・アソシエイツ社の〝ブラック・サイド〟に入ったのではなかった。

そう、彼は現場仕事――アドレナリンがどっとあふれ出る実戦――がしたくて〈ザ・キャンパス〉に入ったのである。そしてこの数年のあいだに、そうした実戦をたくさん体験した。それは――まあ、二〇代の男にとっては――中毒になるもので、いまジャックは言わば禁断症状におちいっていた。

それなのに現在、あらゆる作戦行動が中止されたままになり、〈ザ・キャンパス〉の存続さえ危ぶまれている。そしてそれはすべて、だれもが〈イスタンブール・ドライヴ〉と呼ぶようになったもののせい。

〈イスタンブール・ドライヴ〉は、ジャックがイスタンブールのタクシム地区のマンションでエマド・カルタルを射殺した夜に、そのリビア人のデスクトップ・コンピューターからとりはずしたハードディスクドライヴ、つまりそのなかに入っていた、わずか数ギガバイトのデジタル画像、Eメール、アプリケーション・ソフトウェアだ。

イスタンブール作戦が実行された当夜、〈ザ・キャンパス〉の長であるジェリー・ヘンドリーは、テロリスト排除作戦を逐一監視していた者を特定して対処できるようになるまで、すべての攻撃作戦を中止するよう部下たちに命じた。というわけで、ヘンドリー・アソシエイツ社のガルフストリームで世界中を飛びまわることに慣れてしまっていた五人の工作員は現在、ほとんど鎖で机につながれた状態になってしまっている。彼らはいま、同僚の分析員たちとともに、トルコで五人のリビア人の暗殺を決行したときの行動をしっかり監視していた者の正体をつきとめようと、日々懸命に努力しているのだ。

要するに、だれかが〈ザ・キャンパス〉の工作員たちの行動をじっと見つめ、それをリアルタイムで記録し、そういう監視がおこなわれたことを証明するありとあらゆる証拠が、ジャックのハードディスクドライヴ奪取のおかげで〈ザ・キャンパス〉の手のなかに入り、彼らはここ何週間か、自分たちがどれほどのトラブルにおちいっているのか慌《あわ》てて判定しようとしている、というわけだった。

自分の机の椅子《いす》にどんと腰を下ろし、コンピューターの電源を入れると、ジャックの脳裏に暗殺作戦の夜のことがよみがえった。あの夜、カルタルのデスクトップからディスクドライヴをとりはずしたとき、初めジャックは、それを〈ザ・キャンパス〉に持ち帰って、急いでギャヴィン・バイアリーに手わたそう、と単純に考えた。バイアリーは、超一流のハッカーでもある〈ザ・キャンパス〉のIT部長で、ハーヴァード大学で数学の博士号を取得したのちIBMとNSAに勤務、という経歴の持ち主だ。

しかし、バイアリーはそのジャックの考えを即座につっぱねた。バイアリーはボルティモア・ワシントン国際空港におもむいてビジネス・ジェット機で帰ってきた工作員たちを出迎えると、すぐさま彼らとディスクドライヴを近くのホテルへ急行させた。そしてその二つ星半のホテルのスイートルームで、ドライヴを分解し、物理的な追跡装置がなかに入っていないか調べた。その間、五人の工作員たちは疲れ切っていたにもかかわらず、どこかに隠されていた追跡用ビーコンがすでに敵にドライヴの行き先を知らせていた場合に備え、周辺の安全を確保するため、窓、ドア、駐車場の警備にあたった。バイアリーは二時間にわたってドライヴ内部を調べ、ようやく追跡装置はないと判断し、イスタンブールで彼らを監視していた者の正体をあばく手がかりとなりうるその記憶装置を携えて、工作員チームとともにヘンドリー・アソシエイツ社にもどっていった。

〈ザ・キャンパス〉の人々はイスタンブール作戦に関するこの重大なセキュリティ問

題に怯《おび》え、動揺したが、それでも大半の者は、バイアリーの用心深い対処のしかたは度を越していて、ほとんど病的疑り深さ《パラノイア》の域に達している、と思っていた。だが、それに驚く者はひとりもいなかった。彼がこれまでにヘンドリー・アソシエイツ社のコンピューター・ネットワークにほどこしてきたセキュリティ対策は、まさに伝説的なものだった。バイアリーはセキュリティ会議を毎週ひらくことを要求し、パスワードを決められたスケジュールにしたがって頻繁に変更しなければ職員はネットワークへのアクセス権を獲得できないというシステムにしてきたのであり、それゆえに〈デジタル・ナチ〉と陰で呼ばれていた。

　こうしてバイアリーはここ何年かのあいだに、自分が構築したネットワークにはどんなコンピューター・ウイルスも絶対に侵入できない、と何度も同僚たちに断言し、そのとおりになるように、油断怠りなく用心に用心を重ね、ときどきではあるけれど他の職員にとって疎《うと》ましい存在にもなってきた。

〈ザ・キャンパス〉のコンピューター・ネットワークはおれの子供だ、とバイアリーは誇らしげに言いはなち、あらゆる危険からそれを護《まも》りつづけてきた。

　ギャヴィン・バイアリーはハードディスクドライヴ（ＨＤＤ）を〈ザ・キャンパス〉のＩＴ部に持ち帰ると、そのペーパーバック・サイズの記憶装置をダイヤル錠のついた金庫のなかに入れた。そのときたまたまそばに立っていたジャック・ジュニアとサム・グレインジャー工作部長が、目を剝《む》き、そこまでしなければいけないのかという顔をしてながめたが、バイアリーはこう説明した。このHDD《ドライヴ》を自分しか扱えないようにしておく必要があるんだ。幸いそのなかに位置通報装置《ロケーター》がないことは確認できたが、ハードディスク内にウイルスなど悪質なマルウェアが隠れている可能性がまだある。こんな得体の知れない記憶装置は、ほんとうはこの建物のどこにもおいておきたくない。それができないのなら、せめて自分自身でそれを安全な場所にしっかり保管し、ほかのだれにも触らせないようにしたい。

次いでバイアリーはカードキーでしか入れない二階の会議室にデスクトップ・コンピューターを一台設置した。そしてそのコンピューターを建物内のいかなるネットワークともつながなかった。つまりそれには有線モデムも無線モデムもブルートゥース装置も取り付けられなかった。現実世界《リアル・ワールド》でもサイバーワールドでも、完全に隔離されたわけである。

まさかHDD《ドライヴ》に脚が生えて、この部屋から逃げ出そうとするんじゃないかと心配しているんじゃないでしょうね、とジャック・ライアン・ジュニアが皮肉混じりに訊《き》くと、ギャヴィン・バイアリーはこう答えた。「いや、そうは思わんよ、ジャック。でもな、きみたちのうちのひとりが、ある夜遅くまで残業していて、USBメモリか同期ケーブル付きのラップトップをこの部屋に持ちこむのではないかと、それを心配しているんだ。性急すぎるか怠惰すぎて、わたしのやりかたに我慢できない者が、いないともかぎらない」

最初バイアリーは、会議室にひとりでこもってコンピューターを動かすと言い張ったが、これには〈ザ・キャンパス〉の分析部長のリック・ベルがただちに反対した。そしてその理由は「バイアリーは分析員ではないから、諜報データに関してはほとんどの場合、探しかたも知らないし、そもそも有用なものであるかどうかも、解釈のしかたもわからない」という至極もっともなものだった。

そこで、最終的に次のような合意がなされた。最初のHDD《ドライヴ》調査セッションでは、分析員ひとり——ジャック・ジュニア——のみ、会議室でのバイアリーの調査に立ち会う。ただし、ジャックが使えるものは、事務用箋《リーガルパッド》、ペン、それに有線の固定電話のみ。固定電話は、調査中にコンピューター・ネットワークを用いて調べなければならないことが出てきた場合に、各自の机で仕事中の他の分析員に連絡するためのもの。

バイアリーは会議室の前で足をとめ、なかに入るのをためらった。振り向いてジャックに言った。「自発的にボディーチェックを受けるつもりはあるかね?」

「いいですよ」

ギャヴィン・バイアリーは嬉《うれ》しそうに驚いて見せた。「ほんとうか?」

ジャックはIT部長をまっすぐ見つめた。「ええ、もちろん。なんなら、念には念を入れて、裸になって肛門《こうもん》検査も受けましょうか? 壁に手をついて尻《しり》を突き出せと言うのなら、そうしますけど?」

「わかった、わかった、ジャック。そうつっかかるなって。わたしはただ、きみがUSBメモリやスマートフォンなど、このHDD《ドライヴ》内に入っている可能性のあるマルウェアに感染しうるものを持っていないということを、確認しておきたいだけだ」

「ですから、持っていません、ギャヴ。そう言ったじゃないですか、持っていないって。だいたいどうして、ここでいっしょに働く仲間のなかに自分たちのネットワークをめちゃくちゃにしたいと思う者がいるかもしれないだなんて、思うことができるんですか? 作戦《オペレーショナル》関連セキュリティまで牛耳ろうとしてほしくないです。われわれはあなたに言われたことはすべてそのとおりにやってきましたが、ボディーチェックをさせろという要求には応じかねます」

バイアリーはちょっと考えこんだ。「ネットワークがすこしでも侵害されたら……」

「わかっています」ジャックはIT部長に請け合った。

バイアリーとジャックは会議室のなかに入った。バイアリーは金庫から〈イスタンブール・ドライヴ〉をとりだし、ＰＣに接続した。そして電源を入れ、コンピューターが起動するのを待った。

ＨＤＤ《ドライヴ》内を最初にざっと見ただけで、ＯＳ（オペレーティング・システム）はＷｉｎｄｏｗｓ《ウィンドウズ》の最新のもので、細かく調べなければならないプログラム、Ｅメール、ドキュメント、スプレッドシート（表計算データ）がかなりたくさんあることがわかった。

Ｅメール・ソフトとドキュメントはパスワードで保護されていたが、ギャヴィン・バイアリーはその暗号化に用いられていたプログラムを完全に知っていたので、何分もしないうちに彼と配下のチームがすでに知っていたバックドア経由でＥメールとドキュメントを閲覧できるようになった。

バイアリーとジャックはいっしょに、まずはＥメールから覗《のぞ》いていった。二人は三階のリック・ベル率いる分析チームからアラビア語とトルコ語に堪能《たんのう》な分析員を呼び寄せる準備をととのえてから作業に入り、実際にその二つの言語で書かれた文書を何十も見つけたが、すぐにメールの大半が、そして調査に最も関係がありそうなメールが、英語で書かれたものであることが明らかになった。

六カ月のあいだに同じアドレスからの英語のEメールを四〇通近く受信していたこともわかった。ジャックはバイアリーといっしょにその四〇通を時系列にそって読み進んでいき、電話で他の分析員たちにこう報告した。「メールを見ていくと、われらがイスタンブールの男は英語を話すある者から直接、指令を受けていたと思える。そのある者はメールをやりとりするさい〈センター〉というコードネームを用いている。これはわれわれがやってきた既知の偽名へのデータ・マイニングで得られたパターンからはずれたコードネームだけど、驚くにはあたらない。なにしろうちはテロリストに焦点を合わせてきたからね。こいつはどうも種類がちがう動物のようだ」

ジャックはEメールを読み進めながら、わかったことを仲間の分析員たちに伝えていった。「このリビア人は一種の主従関係を結ぶにあたって〈センター〉と報酬の交渉をしていた。つまり、この男ひとりだけでなく他のメンバーを含めた細胞としてイスタンブールおよびその近郊でいろんな雑用をこなしてほしい、と〈センター〉に言われて……」ジャックは言葉を切り、次のメールの内容を仔細《しさい》に調べはじめた。「ここでは、倉庫のスペースを借りに行かされている」さらに次のメールをひらいた。「ここでは、荷物をひとつ受け取り、それをイスタンブール港の桟橋に碇泊《ていはく》中の貨物船のなかにいる男にとどけろ、と命じられている。ジェンギズ・トペル空港にいる男からスーツケースをひとつ受け取れ、という指示があるメールもある。スーツケースの中身についてはまったくふれられていないが、これも驚くにはあたらない。リビア人たちはまた、トルコの大手携帯電話会社チュルクセルのオフィスの偵察・調査もやらされている」

ジャックはさらに数通のメールに目を通してから、これまでにわかったことを簡潔にまとめた。「低級な使い走りだけだね。これはというようなことはまったくない」

いや、だから、おれや他の工作員たちがばっちり写っているあのたくさんの写真を除けば――とジャックは心のなかで言い添えた。

メールをさらに調べていくと、新たな秘密がもうひとつ明らかになった。〈ザ・キャンパス〉のイスタンブール暗殺作戦が実行されるわずか一日前、〈センター〉はこの元リビア諜報《ちょうほう》機関細胞の通信専門家とのEメールのやりとりを完全にストップした。〈センター〉からの最後のメールには「通信プロトコルをただちに切り替え、保存されているメールをすべて削除せよ」とあった。

これは面白い、とジャックは思った。「新しい通信プロトコルは何でしょうね？」

バイアリーは数秒間システムのなかを調べただけで答えた。「わかった。こいつはそのメールがとどいた日に〈クリプトグラム〉をインストールしている」

「〈クリプトグラム〉？」

「スパイ、悪党用のインスタント・メッセージング・アプリケーションとでも言えばいいかな。それを使って、〈センター〉とエマド・カルタルは、暗号化された安全なインターネット上の場《フォーラム》でチャットでき、ファイル交換もできた。二人の会話を覗き見ることはだれにもできなかったし、チャット後、会話はすべて即時かつ永久に双方のコンピューターから完全削除され、そのわずかな痕跡《こんせき》も残されず、二人のチャットをホストするサーヴァーもなかった」

「では侵入不可能？」

「いや、侵入できないものなんてこの世にひとつもない。いま、この瞬間も、どこかでハッカーが〈クリプトグラム〉を引き裂こうと懸命になっているにちがいない。そのセキュリティを破ろうとしている者はひとりではないはずだ。だが、いまのところまだ、その偉業を達成した者がいるという話はひとつも聞いていない。実はここ〈ザ・キャンパス〉でも同じようなものを使っている。だが、〈クリプトグラム〉はわれわれが使っているものよりも一世代進んだものなのだ。うちも早いところその進化型に入れ替えるつもりだ。ＣＩＡなんて、いまだに四世代ほど古いものを使っている」

「でも、変ですね……」ジャックは最後の短いメールを読みなおした。「〈センター〉はエマド・カルタルにやりとりしたメールをすべて消せと命じたわけでしょう」

「そのとおり」

「言われたとおりにしていないじゃないですか」

「そう」バイアリーは応《こた》えた。「〈センター〉はこのイスタンブールの男がメールを削除しなかったことを知らなかったんだと思う。あるいは、そんなことどうでもよかったのかもしれない」

ジャックは返した。「わたしは、〈センター〉は知っていて、心配した、と考えていいんじゃないかと思いますね」

「どうして？」

「だって〈センター〉は、われわれがエマド・カルタルの仲間を殺すのをしっかり観察していながら、細胞が攻撃されていることをカルタルに警告しなかったんですから」

「なるほど、いい点ついてるね」

「そうか、ちくしょう」ジャックは思わずつぶやいた。どういうことなのかわかったのだ。「〈センター〉の野郎は自分のコンピューター・セキュリティをなんとしても維持したいわけだ」

「同好の士か」ギャヴィン・バイアリーはぼそっと言った。皮肉な調子はまったくなかった。

英語のEメールのチェックを終えると、二人は他の言語での電子文書のやりとりを翻訳者たちの助けを借りて調べていった。だが、興味を惹《ひ》かれるものといったら、元JSO（ジャマーヒリーヤ保安機構）細胞のメンバー間でかわされたいくつかのメールと、エマド・カルタルとトリポリにとどまっている昔の仲間とのあいだのくだらないおしゃべりくらいのもので、ほかに重要と思えるものは何も見つからなかった。

次にバイアリーは〈センター〉からのEメールの経路を逆にたどっていこうとした。しかし、この元リビア諜報機関細胞のミステリアスな後援者は、複雑ななりすまし技術《スプーフィング》を用いて、世界中のプロキシサーヴァーを次々に経由してカルタルにメールを送信していたことが、たちまちのうちに明らかになった。バイアリーはメールが通過した四つの経由点まで遡《さかのぼ》ることができ、最終的にニューメキシコ州のアルバカーキ市・ベルナリオ郡図書館システムに所属するサウスヴァレー館のノード（ネットワークへの接続ポイント）にまでなんとかたどり着けた。

バイアリーからその事実を知らされると、ジャックは言った。「すごい。現場要員を二人、そこへ送りこんで調べさせたらどうかと、グレインジャー工作部長に進言します」

バイアリーは自分よりも若い同僚をしばらく見つめてから言った。「甘いぞ、ライアン。わたしがそれでどうにか知ることができたのは、ベルナリオ郡図書館サウスヴアレー館は〈センター〉の作戦基地ではないから調査対象から除外してよいということだけだ。やつはそこにはいない。たぶん、やつとわれわれとのあいだには、そうした中継点があと一〇はあるはずだ」

期待がはずれ、送信経路を途中までしかたどれなかったため、バイアリーとジャックは次にエマド・カルタルの財務ソフトウェアのなかを調べはじめ、二人は〈センター〉がイスタンブールでの使い走りの報酬としてリビア人たちに電信で送った金の動きを追った。すると、その電信送金はドバイのアブダビ商業銀行から行われたとすぐにわかり、最初二人はそれが確実な手がかりとなって〈センター〉の正体にたどり着けるのではないかと期待をふくらませた。しかし、バイアリーの部下のコンピューターおたく《ギーク》のひとりがその銀行の口座名義人データに侵入し、その身元と取引記録を追っていくと、問題の金はドバイを本拠地とするホテルグループの従業員賃金資金口座から不正に送金された——電子的に盗まれた——ものであることが判明した。

これで〈センター〉の身元割り出しは不可能になったが、別の手がかりをひとつ得られはした。つまり、コンピューター・ネットワークの専門家であるバイアリーにとって、これこそ〈センター〉自身が練達のハッカーである証拠だった。

システムファイル・フォルダーを調べていたバイアリーが、面白いものを見つけた。

「おや、こんにちは」そう言うや、クリックしてファイルをひらきはじめた。浮かび上がったいくつものウィンドウを飛びまわり、凄《すさ》まじい速さでカーソルをあらゆるところに動かしてテキストの重要部分を調べていく。ジャックにとっては、まさに目にもとまらぬ速さだった。

「何ですか、これは？」ジャックは訊いた。

「なかなかステキな攻撃ツールキットさ」

「これで何ができるんですか？」

会話しながらもバイアリーは画面上のウィンドウやファイルの操作スピードをすこしもゆるめない。バイアリーはこの四五秒ほどのあいだに二〇ほどのファイルを調べたのではないか、とジャックは思った。バイアリーはクリックしつづけ、目の前の画面上のデータをぜんぶ頭のなかに取り込みながら（ジャックにはそうしているように思えた）、答えた。

「こいつを使えば、エマド・カルタルにも、コンピューターやコンピューター・ネットワークに侵入し、パスワードを盗み、個人情報を手に入れ、データを変え、他人の銀行口座の金をすっかりいただくこともできたはずだ。インターネットで可能なふつうの悪事はすべて可能だったというわけ」

「すると……カルタルはハッカーだった？」

ギャヴィン・バイアリーはウィンドウをすべて閉じると、回転椅子をくるりとまわしてジャックと向き合った。「いや。これはほんとうのハッキングとは言えない」

「どういう意味ですか？」

「これはスクリプト・キディー用のツールキットさ」

「スクリプト・キディー？」

「自分では悪さをするコードを書けないので、他人《ひと》がつくったこういう既製品を使って悪事を働く者のことだ。この攻撃ツールキットはサイバー犯罪道具のスイス・アーミー・ナイフのようなものだね。使い勝手のよいハッキング用具――ウイルス、キー入力を監視するキーロガーなどのマルウェア、パスワード割り出しプログラムといったもの――がひととおり揃《そろ》っている。だからスクリプト・キディーはそうしたものをターゲットとするコンピューターに送りこむだけでいい。あとは出来合いの道具がぜんぶやってくれるというわけだ」

バイアリーはモニターのほうに向きなおり、さらにいくつかのファイルを覗きはじめた。「カルタルのための取扱説明書まである。ネットワーク管理者のコンピューターに侵入する秘訣《ひけつ》なんかもある」

「管理者のコンピューターにさえ侵入できれば、それを含むネットワーク上の他のものも覗けるというわけですか？」

「そういうことだ、ジャック。自分のことを考えればよくわかる。きみは仕事場に着くと、コンピューターを起動し、パスワードを打ちこむ――」

「そして、何でもしたいことをする」

バイアリーは首を振った。「いや、だから、きみにはユーザー・レベルのアクセス権しかないから、管理者であるわたしが許す範囲内で、きみは何でもしたいことができるにすぎない。わたしには管理者としてのアクセス権がある。たしかにきみはネットワーク上のたくさんのデータを見ることができる。だが、わたしの場合は、指一本動かすだけで、さらに多くのデータを手に入れることができるし、いろいろ操作もできる」

「するとつまり、このリビア人は狙《ねら》ったネットワークに管理者として侵入できるツールを持っていたわけですね。どんなネットワークだったんでしょう？　どういう種類の会社、企業だったんですかね、ターゲットは？　こうしたスクリプトでやつはどういうところへ侵入できたんでしょう？」

「企業の種類なんて関係ない。やつはどんな企業でも狙えた。たとえば、クレジットカード番号を盗みたければ、レストランや小売店の販売時点情報管理システムといったネットワークに侵入できたはずだ。大学、航空会社、政府機関、連邦準備銀行などのシステムに侵入したければ、それもまた至極簡単にできた。ネットワーク侵入ツールは企業、組織を選ばない。さまざまな攻撃経路《アタック・ヴェクター》や弱点を利用してネットワークに潜りこむ方法を全力で見つけようとする」

「たとえば、どんな弱点？」

「たとえば、password《パスワード》、admin《かんり》、1234、Letmein《なかにいれて》といったような推測しやすいパスワードとか、アクセスを許す開いたままのポートとか、だれがどういうデータを入手できるのかということもわかるファイアウォールで護られていない情報とか……。それから、ソーシャルメディアやミート・スペースから相手のことを攻めるという手もある。いろいろ調べて相手に関する情報を集めれば、パスワード推測に役立つからね。

そうした情報収集の多くは、きみたちスパイがやるソーシャル・エンジニアリングそのものだ」つまり、相手の隙《すき》やミスにつけこんで重要な秘密情報を手に入れるのである。

「ちょっと待って。ミート・スペースって、いったい何ですか？」

「実世界《リアル・ワールド》だ、ジャック。きみやわたし。物理的なもの。サイバースペースではない」

ジャックは肩をすくめた。「なるほど」

「ウィリアム・ギブスンのサイバーパンクSF小説、読んだことないのか？」

ジャック・ジュニアが、ない、と正直に答えると、バイアリーはひどく困ったような表情をし、うろたえてしまった。

ジャックはなんとか頑張ってバイアリーを肝心な話題にもどそうとした。「エマド・カルタルはこの攻撃ツールをだれに使ったかわかりますか？」

バイアリーは攻撃ツールキットのファイルをもうすこし調べた。「実際には、だれにも使っていない」

「なぜでしょう？」

「さあ、わたしにはわからない。ともかく、やつはキット内のどんなツールも外部に放ったことがない。エマド・カルタルは、きみがやつを始末した前日の一週間前にこの攻撃ツールキットをダウンロードしたが、いちども使っていない」

「このツールキットをどこで手に入れたんでしょう？」

バイアリーはほんのすこし考えてから、HDD《ドライヴ》のなかのウェブブラウザをひらいた。そして素早く履歴を覗きこみ、カルタルが訪れたウェブページを数週間前までさかのぼって調べていった。しばらくして言った。「スクリプト・キディーはこういうツールキットをインターネットの特殊な地下経済サイトで買えるんだ。だが、わたしはそこで手に入れたのではないと思う。賭《か》けてもいい、この〈センター〉と名乗る野郎が〈クリプトグラム〉でこいつに送ったんだ。メールのやりとりが中止され、〈クリプトグラム〉による連絡がはじまったあとで、カルタルは攻撃ツールキットを〈センター〉から得たにちがいない。このリビア野郎がこうしたツールを売っているインターネット上のサイトを訪れた形跡はまったくない」

「面白いですね」と言ったものの、ジャックはまだ何がどう面白いのかはわからなかった。「〈センター〉がやつに送ったとすると、それは大きな計画の一部だったということですかね。結局、実行されずに終わった大計画に必要なツールキットだった？」

「たぶんね。これは世界最高レベルのハッキング・ツールキットではないが、かなりの損害を与えうるものではある。去年、クリーヴランド連邦準備銀行のコンピューター・ネットワークがハックされ、ＦＢＩが何カ月もの期間と何百万ドルもの資金を投入して調査した。ところが、そんなに苦労してやっと見つけたのは、犯人はマレーシアのカラオケバー・サイバーカフェからネットワークに侵入した一七歳だったということだけだ」

「ええっ！　それで、そいつはこれと同じようなツールキットを使っていたわけですか？」

「そう。ハッキングの大部分は、マウスをクリックする方法を知っているだけの〝下働き〟がやる。悪質なコードそのものを書くのは、ブラックハット・ハッカーと呼ばれている連中だ。いちばんの悪党はそいつら。エマド・カルタルは自分のコンピューターに攻撃ツールキットをインストールしていたけど、そのブラックハット・ハッカーはやはり〈センター〉で、そいつがそれをやつに送りつけたのだと、わたしは思う」

　ジャック・ジュニアが諜報的価値という点からすべてのドキュメントをひらいて目を通してから、ギャヴィン・バイアリーはＨＤＤ《ドライヴ》内のソフトウェアを徹底的に調べはじめ、〈センター〉がどのようにしてカメラを遠隔操作できたのかを解明する手がかりを探した。明らかにそれをするためとわかるアプリケーションはHDD《ドライヴ》内にひとつもなく、エマド・カルタルと〈センター〉とでカメラの遠隔操作について話し合うメールも存在しなかったので、この謎《なぞ》に包まれた〈センター〉がリビア人に知らせずに勝手にそのコンピューターに侵入していたのだろう、との結論にバイアリーは達した。彼は〈センター〉がそのさい用いたハッキング・ツールを探し出そうと決心した。見つけられるまで、いくらでも時間をかけるつもりだった。それを発見すれば、〈センター〉の正体にすこしは迫れると思ったからだ。

これはジャック・ジュニアにとっては不得意な作業だった。ソフトウェアの生のコードから情報を引き出すなんて、ジャックにはサンスクリット語を読むようなもので、とても無理だった。

そこでジャック・ライアン・ジュニアは仲間の分析員たちのもとに帰り、他の方法で元リビア諜報《ちょうほう》機関細胞とその謎の後援者を調査する仕事をはじめた。一方、バイアリーは、ヘンドリー・アソシエイツ社こと〈ザ・キャンパス〉のIT関係の仕事を処理せざるをえないときを除いて、秘密漏洩《ろうえい》の心配がない会議室に独りでこもり、モニターの前に座って体をまるめ、目覚めている時間のほぼすべてを〈イスタンブール・ドライヴ〉内の探索に投入した。

バイアリーは数週間かけて、HDD《ドライヴ》内の何百にものぼる実行ファイルをひとつ残らずひらき、テストし、さらに再テストして、それが何をし、ほかの部分にどういう影響を与えるか知ろうとした。そして、その努力が価値ある成果を何らもたらさないとわかると、今度はその奥のソースコード、つまり各プログラムのテキストベースのコンピューターへの指示まで掘り進んで調べたが、その何万行にもおよぶデータは結局、実行ファイル同様、成果らしきものをまったくもたらしてくれなかった。

ソースコードの調査に何週間か費やしたのち、次にバイアリーはマシンコードを丹念に調べはじめた。マシンコードはコンピューターのCPU（中央処理装置）が直接理解し実行できる機械語による指令で、プロセッサにやるべきことを直接命令する1と0の長い連なりだ。

ソースコードはプログラミング言語を知らない者には難解だが、素人《しろうと》にもいちおう読める形になっている。しかし、マシンコードのほうは、コンピューター・プログラミングの専門家にしか解読できない暗号のようなもので、素人にわかる単語などひとつもない。

このマシンコード調査は、コンピューターコード一筋の人生を歩んできた者にとっても、退屈きわまりないものだったし、仲間のコンピューターおたく《ギーク》からは「〝機械の中の幽霊〟を追っているようなものだ」と言われ、ヘンドリー・アソシエイツ社の上層部からは「急いで片づけるか、早いところ成果なしと判断しろ」とせっつかれた。にもかかわらず、ギャヴィン・バイアリーはスローなペースを崩さずに整然とこの作業を続行した。

ジャック・ライアン・ジュニアは、コンピューターが起動するのを待つあいだ、あのイスタンブールの夜のことと、その後も一カ月もつづいている調査のことを考えていた。作戦実行の夜の場面がまざまざとよみがえり、一瞬、時間感覚を失い、あわてて記憶を振り払った。現在に自分を連れもどすと、コンピューター・モニターの最上部についているカメラを見つめていた。それは、同じ建物内の他部門の人々とのチャットのさいにときどき利用するウェブカメラだ。社のネットワークは侵入不可能だとバイアリーは断言していたが、それでもジャックは自分が目の前のカメラで監視されているのではないかという薄気味悪い感覚をおぼえることがいまだに多かった。

ジャックはなおもイスタンブールの夜のことを考えながら、カメラの奥をじっと覗きこんだ。

首を振って独りごちた。「おまえはまだ病的疑り深さ《パラノイア》を患《わずら》うほどの年寄りじゃないぞ」

彼は休憩室にコーヒーを一杯飲みにいこうと立ち上がったが、席から離れる前に、キーボードのそばにあったポストイット・パッドから一枚剝《は》ぎとり、その付箋《ふせん》の粘着する部分をカメラのレンズの上に押しつけて貼《は》りつけた。ハイテクの問題をローテクで解決したというわけだ。何よりもまず自分の心の平安のために。

ジャックは体の向きを変えて廊下のほうへ一歩踏み出した。が、そこでギョッとして足をとめ、あえいだ。

すぐ前にギャヴィン・バイアリーが突っ立っていたのだ。

ジャックは仕事のある日はほぼ毎日バイアリーに会っていて、彼が健康そのもののように見えたことなど一度もなかったが、今日の彼ときたら、まさに陳腐な生ける死体《ゾンビ》そのままだった。朝の八時三〇分だというのに、服は皺《しわ》だらけ、薄くなりはじめた灰褐色の髪はななめに乱れ、目の下の黒いくまが半円形の袋のように肉づきのよい頰まで垂れて、えらく目立つ。

いちばん調子のよい日でも、ギャヴィン・バイアリーの顔は液晶ディスプレイの光にしかあたったことがないのではないかと思えるほど青白いが、今日の顔色はまさに棺《ひつぎ》のなかの吸血鬼のそれだった。

「うわー、ギャヴ。昨日は泊まりだったんですか？」

「週末ずっと泊まっていたのさ」バイアリーは疲れてはいるが興奮した声で答えた。

「コーヒー、飲みたいですよね？」

「ライアン……いま怪我《けが》したらコーヒー色の血が、が、が、が、出る」

これにはジャックも笑いを洩《も》らした。「ではと、とんでもない週末を過ごした甲斐《かい》があったという話でも聞かせてください」

バイアリーのたるんだ顔が引きしまって、そこに笑みが浮かんだ。「見つけたんだ。ついに見つけたんだ！」

「えっ、何を？」

「〈イスタンブール・ドライヴ〉のなかにマルウェアの痕跡《こんせき》を見つけたんだ。たっぷりはないけど、手がかりにはなる」

ジャックは拳《こぶし》を突き上げた。「やったあ！」だが、内心こう思わずにはいられなかった。《いやはや、やっとか》

9

ジャック・ライアン・ジュニアとギャヴィン・バイアリーがいっしょにIT部へ向かって歩いているとき、ジョン・クラークは自分のオフィスにいて、怪我をしなかったほうの手の指で机を小刻みにたたきつづけていた。八時三〇分を過ぎたばかりで、〈ザ・キャンパス〉のサム・グレインジャー工作部長はすでにオフィスにいて一時間以上は働いているはずだったし、〈ザ・キャンパス〉の長で〝ホワイト・サイド〟のヘンドリー・アソシエイツ社の社長でもあるジェリー・ヘンドリーも、ちょうどいまごろ出社して執務室の椅子《いす》におさまるころだった。

《この件を先送りする理由なんてない》クラークは受話器をとって番号を押した。

「はい、グレインジャー」

「やあ、サム、ジョンです」

「おはよう。週末は楽しめたかね?」

《いや、だめだった》とクラークは思ったが、口には出さなかった。「ええ、まあ。

ええと、あなたとジェリーにちょっと話があってね、お二人が都合のよいときにそちらへ行きたいのだが？」

「いいよ。ジェリーはいま執務室に入ったところだ。いまなら時間がある。来てくれ」

「了解《ラジャー》」

五分後、ジョン・クラークは九階にあるジェリー・ヘンドリーの執務室に入っていった。ヘンドリーは机の向こう側からぐるりとまわって出迎え、左手を差しのべて握手した。一月以来、この建物のなかのほとんど全員が、クラークには左手を差し出すようになっていた。ヘンドリーの机の前の椅子に座っていたサム・グレインジャーも立ち上がり、クラークにそばの椅子に座るよううながした。

ヘンドリーの机のうしろの窓から、北のボルティモアのほうへと延びていく、メリーランドのなだらかに起伏するトウモロコシ畑と馬の放牧地が見晴らせた。

ヘンドリーが言った。「話って何だね、ジョン？」

「ジェントルメン、冷静に現実を直視するときだと悟ったのです。右手はもとのようにはならない。一〇〇％はね。よくて七五％の回復、それもいろんな療法をたくさんしたあとのこと。手術もあと一、二回は必要になるかもしれない」

ヘンドリーは顔を曇らせた。「なんてことだ、ジョン。気の毒としか言いようがない。わたしたちはみな、今度の手術で一〇〇％回復すると期待していたんだがな」

「ええ、わたしもね」

グレインジャーが言った。「必要なだけいくらでも休んでくれ。〈イスタンブール・ドライヴ〉の調査がまだ進行中で、作戦中止がなお数週間つづく可能性があるし、もし分析結果が――」

「いや」ジョン・クラークは首を振りながらきっぱりと言った。「仕事を辞めることにしました。引退することに」

グレインジャーとヘンドリーは何も言えずに、ただクラークを見つめた。

だいぶたってからグレインジャーが言った。「あなたはうちの作戦に欠かせない極めて重要な人間だ、ジョン」

クラークは溜息《ためいき》をついた。「だった、んだ。あのクソ野郎のヴァレンティン・コヴァレンコと手下どもにそうでなくされてしまった」

「そんなことはない。きみはいまだって、CIAの国家秘密活動部要員《ラングレー》の大半よりも作戦活動能力がある」

「ありがとう、ジェリー。しかし、わたしとしては、利《き》き手で小火器を持つ必要があるときにそうできる者しか準軍事作戦要員にはしないという鉄則にＣＩＡが現在もこだわっているよう望まざるをえませんね。わたしはなにしろ、いまはそれさえできないんです」

これにはヘンドリーもグレインジャーも返す言葉がなかった。

クラークはつづけた。「手だけの問題じゃない。現場での秘密任務遂行能力も、昨年のわたしに関する大報道で損なわれてしまった。たしかにメディアの熱狂は去りました。自分たちが広めているのはロシアの諜報《ちょうほう》機関のプロパガンダなのだとわかると、報道機関のほとんどが尻尾《しっぽ》を巻いて逃げ去りました。でもね、ジェリー、考えてみてください。しけたニュースしかない日に『あの人はいま？』風のことをやろうと思い立つ恐れ知らずの記者がひとりでもいたら、それだけで大変なことになります。そいつはわたしを尾《つ》けてここにたどり着き、仲間といっしょに探りを入れるでしょう。で、お次は、『60《シックスティ》ミニッツ』のスタッフがカメラマンをしたがえて受付にやってきて、社長にちょっとお話を伺えませんかと言ってくる」

ヘンドリーの目が細く険しくなった。「そんなやつらが来たら、わたしの会社から出ていけと言ってやる」

ジョン・クラークはにやっと笑った。「それくらい簡単なことですめばいいんですけどね。冗談抜きでそう思います。FBI特殊部隊員を満載した黒塗りのSUVの車列がわっと農場まで押しかけてくる光景なんて、もう見たくないです。あんなことは一度で充分、二度と経験したくない」

サム・グレインジャーが言った。「あなたがもつ専門知識や特殊技能はとてつもなく貴重なものだ。辞めるといっても現場の作戦活動だけにして、裏方にまわってもらう、というのはどうかな？」

もちろんクラークはそういう形も考えてみた。だが結局、〈ザ・キャンパス〉はできるかぎり効率よく構成されていなければならないのだと悟った。

「廊下をぶらぶらするためだけにここに来るつもりはない、サム」

「何を言っているんだ？　オフィスはいままでどおり使えるようにしておく。だから、これまでと変わらず――」

「ですから、お二人さん、われわれ工作員チームはイスタンブール作戦以来、休止状態にある。メンバー全員が一日八時間、コンピューターとにらめっこをして過ごしている。で、わたしの場合、悲しいことに、コンピューターの扱いはわが孫よりも下手ときている。現在、ここでわたしにできることは何もない、皆無だ。それに、〈イスタンプール・ドライヴ〉問題が解決され、工作員たちに現場にもどってもよいという青信号が出ても、こんな身体能力では、それに参加することはできない」

ヘンドリーが訊《き》いた。「きみが家の廊下をぶらぶらすることになると、サンディは何て言うかな?」

クラークは笑い声をあげた。「そう、女房にとってもわたしにとっても、慣れなければいけないことがあるでしょうね。農場では、わたしがやることはたくさんありますし、女房はなぜか、わたしにそばにいてほしいようです。しばらくいっしょにいたら、女房はわたしにうんざりするかもしれませんが、それはまあ、わたしではなく向こうが決めることでして」

ジェリー・ヘンドリーにはよくわかった。妻子がまだ生きていたら、自分はいま何をしているだろうか、と彼は思わずにはいられなかった。数年前、ヘンドリーは妻と子供たちを自動車事故でいっぺんに失い、以来ひとり暮らしだった。そしていま仕事が人生そのものになっていた。家にいてほしいと思う妻がいる男に、そんな人生を強制したいとは思わなかった。

家族がまだ生きていたら、わたしはどこにいるだろうか、とヘンドリーは思った。ヘンドリー・アソシエイツ社こと〈ザ・キャンパス〉で週に六〇時間から七〇時間も働く、なんてことをしていないことだけは確かだ。きっと家族と楽しめる暮らしかたを見つけていたにちがいない。

たしかにジョン・クラークは、ヘンドリーが手に入れられるなら何とでも交換すると思うほど欲しい人生を生きられる。だがヘンドリーはそういうクラークを一瞬でもねたむような男ではなかった。

それでもヘンドリーは〈ザ・キャンパス〉の長であり、クラークがきわめて貴重な〝資産《アセット》〟であることに変わりない。だからヘンドリーはクラークを引きとめるためにできるだけのことをしなければならなかった。「完全に決まりということかね、ジョン？　もうすこし考えてみたらどうだろう？」

ジョン・クラークは首を振った。「ほかの選択肢なんてまったく考えなかった。完全に決まりです。わたしは家にいることにします。だから、一日二四時間・週七日、あなたがたやチームのだれかが用があれば、いつでも連絡がつきます。ただし、相談には乗りますが、公式に作戦に参加することはない」

「ディングには話したのかね？」

「ええ。きのう農場で一日中話し合いました。娘婿《むすめむこ》は思いとどまらせようとしましたが、結局はわかってくれました」

ジェリー・ヘンドリーは椅子から立ち上がると、机をまわって前に出てきて左手を差しのべた。「よくわかった。退職を認めよう。だが、これだけは忘れないでほしい。きみの席はそのままにしておく。いつでも戻ってきてくれ、ジョン」

サム・グレインジャーも同じ言葉を繰り返した。

「ありがとう、お二人さん」

ジョン・クラークが九階のヘンドリーの執務室で話し合っていたとき、ジャック・ライアン・ジュニアとギャヴィン・バイアリーIT部長は、二階の部長室のすぐそばにある鍵《かぎ》のかかった会議室の椅子に座っていた。二人の前の小さなテーブルの上には、カヴァーをはずされてコンポーネント、ケーブル、ボードがすべて剝《む》き出《だ》しになっているデスクトップ・コンピューターが一台載っている。それに接続されている周辺機器もいくつかあり、テーブル上にでたらめに散らばるさまざまな太さ、色、タイプのケーブルでつながれていた。

そしてそうした機器のほかに見えるものは、電話一台、白いテーブルに何十もの茶色い小さな円形の跡を残したコーヒーマグひとつ、それに黄色い事務用箋《リーガルパッド》一冊だけ、ほかには何もなかった。

ジャック・ジュニアはこの二カ月、ここでかなりの時間を過ごしたが、それもバイアリーが過ごした時間とくらべたら無に等しい。

ジャックの目の前のモニターには、数字とダッシュなどの記号が画面いっぱいに広がっていた。

バイアリーが言った。「まず最初に、理解しておいてもらいたいことがひとつある」

「何ですか?」

「この男――〈センター〉が男だとして――は優秀だ。こいつは一流のブラックハット・ハッカーだ」バイアリーは〝信じられん〟というふうに首を振った。「こいつがやったコード難読化はこれまでに見たことがないものだった。やつはまったく新しい種類のマルウェアを利用している。それは、このわたしが長時間を投入してへとへとになりながら自分の目でマシンコードをいちいち調べていって、やっと発見できたものだ」

ジャックはうなずき、手を振ってモニター上の数字の連なりを示した。「つまり、ウイルスですか?」

「その一部だ。ウイルスというのは二段式になっている。一段目が送付《デリヴァリー》すなわち感染を受け持つ部分。そして二段目が積載物《ペイロード》すなわちウイルス本体。このウイルスのペイロードはまだHDD《ドライヴ》のなかに隠れたままだ。正体はRAT——遠隔操作《リモートアクセス》ツール。通信方式はコンピューター同士を直接つなぐピア・ツー・ピアの一種だろうが、その確認はまだとれていない。なにしろペイロードはほかのアプリケーションの内部にしっかり隠れているんでね。きみがいまモニター上に見ているのは、デリヴァリー——感染——を受け持つ部分の一部だ。〈センター〉はウイルスをこのHDD《ドライヴ》に潜りこませたあと、デリヴァリー・システムを削除しようとしたのだが、この短い数字の連なりだけ消せなかった」

「なぜ削除しようとしたのですか？」

「侵入経路を隠すためさ。優秀なハッカー——たとえばわたしのような者——は、つねに自分のうしろをきれいにするよう心がける。家に押し入る泥棒のことを考えるとわかりやすい。泥棒が窓から侵入して最初にやることは、家のなかに入った者がいると思われないように窓を閉めることだ。というわけで、ウイルスをコンピューターのなかに潜りこませることに成功したら、もうデリヴァリー・システムはいらないわけだから、〈センター〉はそれを消した」

「ただ、すべてを消すことはできなかった」

「そのとおり。そしてそいつがとても重要なんだ」

「なぜですか?」

「それはだね、これが〝デジタル指紋〟だからさ。これは、やつの知らない——マルウェアをつくった本人も残していることに気づいていない——ものである可能性が高い」

ジャックは理解した。「やつはほかのコンピューターにもこれを残しているかもしれないので、これと同じものをほかのところで見つけたら、そこにも〈センター〉が侵入しているとわかる、というわけですね」

「そう。だって、こいつは極めて珍しいマルウェアだし、〈センター〉みたいなハッカーにも、そのデリヴァリー・システムをコンピューターからきれいに消せなかったわけだからね。その消せなかったコードの一部が見つかったら、同じ野郎ではないかと推論して差し支えないのではないかと、わたしは思う」

「ウイルスをカルタルのコンピューターに感染させた方法については?」

「〈センター〉ほどの技量の持ち主にとって、ウイルスを感染させるなんて朝飯前のことだったはずだ。ウイルスを潜りこませるさい、いちばん難しいのはソーシャル・エンジニアリング——つまり、相手の人間にこちらの望むことをさせる——部分だね。要するに、プログラムをクリックさせる、ウェブサイトへ行かせる、パスワードを打ちこませる、USBメモリを差しこませる……といったこと。〈センター〉とカルタルは互いに知っていて、インターネットによる通信で連絡し合ってきた。Eメールから、リビア人が〈センター〉を疑っていなかったことは明らかだ。〈センター〉はカルタルのコンピューターをスパイし、ウェブカメラを操作していたが、リビア人は疑念などまったく抱いていなかった。〈センター〉はバックドアからソフトウェアに入りこみ、コンピューターにファイルをインストールさせ、残った〝足跡〟を消したが、カルタルはそんなことをされたなんて思いもしなかった。〈センター〉はカルタルを完全にだましていたんだ」

「なかなかやりますね」ジャックは言った。彼はコンピューター・ハッキングの世界には詳しくなかったが、ハッキングも多くの点でスパイ行為であり、両者には基本的なところで類似点がたくさんあることはわかっていた。

ギャヴィン・バイアリーは溜息をついた。「HDD《ドライヴ》の調査はまだ終わっていない。あと一カ月、あるいはそれ以上、かかるかもしれない。いまのところ、具体的に探し出せたのは〝デジタル指紋〟だけだ。それをよそで見つけたら、そこでも〈センター〉が何やらやったと考えてよい。この〝デジタル指紋〟の発見は、大収穫とまでは言えないが、かなりの成果ではある」

ジャックは言った。「ジェリーや他の工作員たちを呼んで会議をひらき、あなたが見つけたことを伝えないと。家に帰って、すこし眠りたいというのでしたら、わたしひとりで伝えます」

バイアリーは首を振った。「いや。大丈夫。わたしも会議に出席したい」

10

トッド・ウィックスはこんなことをするのは初めてだった。そもそも上海に来るのだって生まれて初めてなのである。

ウィックスがその中国最大の都市に滞在していたのは上海ハイテク・エクスポに参加するためだった。もちろんそれは彼が体験する最初の国際見本市ではなかったが、泊まっているホテルのロビー・バーで、自分を部屋まで連れていきたがっているとはっきりわかる美女と出会うのは初めてのことだった。

女は売春婦だった。たいして世慣れてはいないウィックスにも、それくらいのことはかなり早い段階で見抜くことができた。女の名前は宝《バオ》——「〝高価な宝物〟という意味なの」と彼女は強くはあるけれども魅力的な中国訛《なま》りでウィックスに言った。宝はたいへんな美人で、年はたぶん二三くらい、長いストレートの黒髪は色も光沢も陝西《シャンシー》の黒色花崗岩《かこうがん》を思わせ、体にぴっちり密着する赤いドレスは華やかであると同時にセクシーでもあった。すらりとした長身で、最初に見たときウィックスは映画スターかダンサーではないかと思った。だが、目が合った瞬間、彼女のほうから優しいが自信に満ちた笑みを浮かべ、ほっそりした優美な指で白ワイン《シャルドネ》のグラスを大理石のカウンターからとりあげると、流れるような自然な動きで彼のところまでやってきた。

トッド・ウィックスが〝売春婦《ワーキング・ガール》〟にちがいないと思ったのはこのときだった。そして彼女は仕事中《ワーキング》だったのである。

一杯おごらせてくれませんか、とウィックスは言い、バーテンダーが女のワイングラスにお代わりを注いだ。

繰り返すが、トッド・ウィックスはこんなことをするような男ではなかった。だが、女が唖然《あぜん》とするほどの美人だったので、彼はこう自分に言い聞かせなければならなくなってしまった。今夜ばかりは特別だ、これ一回きりにしよう。

上海を訪れる前のウィックスは、ステキな生活を送るいい人《ナイス・ガイ》だった。まだ三四歳だが、カリフォルニアを本拠地とするIT企業、アドヴァンテッジ・テクノロジー・ソリューションズ社の営業部ヴァージニア・メリーランド・DC地区長。リッチモンドの富裕地域ウエストエンドにかなり大きな家を所有し、二人の子供は美形でかわいらしく、妻は自分よりも利口で美しい。おまけに妻は製薬会社の営業担当で、彼よりも成功している。

ウィックスは欲しいものをすべて手に入れていて、不満などまったくなく、敵もひとりもいなかった。

その夜までは。

のちに彼はその夜のことを振り返り、こう責任転嫁《てんか》することになる――夕食から同僚たちと飲みつづけていたウォッカ・トニックのせいだ。ワシントン・ダレス国際空港からの二四時間のフライト中に鼻炎になって飲みつづけた風邪薬もまずかった。それのせいで頭がすこしクラクラして軽はずみになってしまった。

そしてもちろん、あのくそいまいましい女が悪いのだ。宝、〝高価な宝物〟。あの女がおれの人生をめちゃくちゃにしたのだ。

午前零時ちょっと前、トッド・ウィックスと宝《バオ》は、上海虹口《ホンコウ》ホテルの一一階でエレベーターから降りた。二人は腕を組んでいた。ウィックスは酒に酔ってすこし千鳥足になっていたが、胸は興奮で高鳴っていた。廊下の奥まで歩いていくあいだ、これからしようとしていることに罪悪感をおぼえることも、こうなってしまったことへの後悔の念を抱くこともなかった。ただ、三五〇〇人民元（五〇〇ドル超）をＡＴＭから引き出したのを妻にどうやって隠せばいいのかということで多少不安をおぼえた。だが、そんなことは朝になってから心配すればいい、と彼は自分に言い聞かせた。

いまは楽しむとき、悩むときではない。

女のスイートルームは彼の部屋と同じレイアウトになっていた。ソファーと大画面のテレビを備えたリビングスペースとは別にキングサイズのベッドが据えられた寝室がある。だが、照明は蠟燭《ろうそく》の火で、香がたかれ、芳香がただよっていた。二人はソファーに座り、宝がミニバーの飲みものはいかがかと尋ねたが、ウィックスはあまり酔っぱらうとうまくやれなくなる可能性もあると心配しだしていたので、辞退した。

宝との軽いおしゃべりがはじまると、その話題の一つひとつにトッド・ウィックスは彼女の肉体的美しさに魅せられるのと同じくらい魅了された。女の子供のころの話に彼はつい警戒心をといてしまった。女はウィックスのことも尋ねた。生まれ育ったのはどこですか？　兄弟姉妹は？　いったいどんなスポーツをやれば、そんな最高の肉体を保てるのですか？　こうしたおしゃべりのすべてが、すでに慎重さをすべて投げ棄《す》てたくてしかたがなくなっている男をさらにうっとりさせた。

ウィックスは宝の声にも魅せられた。小さく、途切れがちだったが、聡明《そうめい》で、自信にあふれた声、話しかただった。彼は宝に訊《き》きたかった――きみのようなステキな女性が、いったいなぜ、こんなところでこんなことをしているのか、と。だがそれはこの場にふさわしくない問いのように思えた。この部屋はステキな場所だったし、すでに自分の気持ちを抑える力を低下させてしまっていたウィックスには、いま進行していることに怪しい点を見つけるのは難しかった。もっとはっきり言えば、いまの彼には女のキラキラ輝く目と大きくひらいた胸元しか見えなかった。

宝が身を乗り出して彼にキスをした。ウィックスはまだ三五〇〇元をわたしてもいない。この女はいま金のことなんて頭にないのだ、と彼は完全に思いこんでしまった。おれはこの女に気に入られたのだ。おれは彼女がこれまでにとってきた客よりも一〇倍も魅力的な男にちがいない。宝はおれに夢中なのだ。おれが彼女にまいってしまったのと同じくらい。間違いない、絶対にそうだ。

ウィックスは舌をからませてディープキスをし、両手を使って彼女の小さな顔の両側面を押さえ、そのまま熱いキスをつづけた。

何分かすると、二人はソファーから床へ滑りおり、さらに何分かすると、リビングスペースの床には女のドレスとハイヒールしか残っていなかった。二人とも寝室に移動してしまったのだ。女はベッドに横たわり、ウィックスは真っ裸で女のすぐそばに立っていた。

ウィックスはベッドにひざまずき、汗ばむ両手を彼女の脚の外側にそって滑りのぼらせた。そして、手がパンティまで達すると、それをすこしだけ引き下げた。彼女はその動きに応じた。それがまたウィックスの目には〝自分同様、彼女も燃えている〟証拠だと映った。女は腰を浮かし、ウィックスが細いヒップからシルクのパンティを取り去りやすいようにした。

彼女の腹は平べったく引き締まり、半透明のようにも見える白くなめらかな肌が蠟燭の柔らかな光を受けて輝いていた。

トッド・ウィックスはひざまずいていたにもかかわらず膝《ひざ》がふるえるのを感じた。

彼はゆっくりと、すこしふらつきながら体を起こし、ベッドに身を横たえた。

すぐに二人はひとつになった。ウィックスは女の上にしっかり乗っていた。ここは家から七〇〇〇マイルも離れた場所だ。だれかにこれを知られることなんて絶対にない。

はじめウィックスはゆっくり動いた。が、それはほんの短いあいだだけ。すぐに彼は動きをどんどん速めていった。額の汗が、歯を食いしばる女の顔にしたたり落ちた。かたく閉じられた女の目を見て、エクスタシーを感じているのだとウィックスは思った。

彼は腰の動きをさらに速めた。たちまちウィックスの目は美しい女の顔に釘《くぎ》づけになった。女がオーガズムに達して首を左右に振りはじめたのだ。

そう、たしかにこれは宝にとって商売、仕事だ。だが、彼女は本気になっている、感じている、とウィックスは思った。おれはいまそれをはっきり感じとれる。彼女のオーガズムは本物だ。絶対に間違いない。ほら、肌が紅潮している。体の奥から強烈な快感をおぼえ、熱く火照《ほて》っているんだ。おれはこれまでに彼女が相手にしてきた男どもとはまったくちがうのだ。

彼女はめちゃくちゃに本気になっている。ちょうどおれのように。

ウィックスはもうしばらく腰を動かしつづけた。だが、残念なことに、持久力は期待していたほどではなく、すぐにイッてしまった。

ウィックスは彼女の上に乗ったまま、あえぎ、はあはあと息を切らせた。二人の体は動きをとめたが、彼の肺はせわしなく膨縮を繰り返し、心臓は暴れつづけていた。

宝の目がゆっくりとひらいた。

彼は女の目をじっと覗《のぞ》きこんだ。その目は揺らめく蠟燭の火を浴びて金色にきらめいていた。

きみは完璧《かんぺき》だ、とウィックスが宝に言おうとしたまさにそのとき、彼女の目がまばたきし、彼の右肩を越えた一点に焦点を合わせた。

トッド・ウィックスは微笑《ほほえ》み、首をゆっくりまわして宝の視線を追った。ベッドのすぐそばに、ウィックスの裸身におおいかぶさるようにして立っている者がいる！ 冴《さ》えない灰色のパンツスーツに身をかためた中年の中国女。顔には険しい表情が貼《は》りついている。包丁を砥石《といし》でとぐような声で女は言った。「ちゃ、ちゃんと終わりましたか、ミスター・ウィックス？」

「何だ、こりゃ、おい！」

ウィックスは宝の体から跳びのき、ベッドから出ようと体を回転させた。そのとき部屋にほかにも人がいるのに気づいた。見知らぬ男と女。五、六人はいるにちがいない。ウィックスが我を忘れて強烈なエクスタシーをむさぼっていたとき、そっと入りこんできたのだろう。

ウィックスは真っ裸のまま床に落ちると、四《よ》つん這《ば》いになって動きまわり、ズボンを探した。

服はどこにもなかった。

一〇分後、トッド・ウィックスはまだ真っ裸だったが、灰色のパンツスーツを着た中年女がバスルームからタオルを一枚持ってきてくれたので、彼はそれを腰に巻いてベッドのはしに腰かけた。ただ、タオルはしっかり巻きつけられるほど大きくなく、ウィックスははずれて落ちないようにそれを持ちつづけていなければならなかった。頭上の明かりが点《つ》けられ、蠟燭の火はすべて吹き消されていた。見知らぬ者たちはみな、彼の存在を忘れてしまったかのようだった。黒や灰色のスーツを着ているかレインコートをはおった男や女が、半裸で座る彼のことなどいっさい気にせず、部屋のなかを忙しそうに動きまわっていた。

宝《バオ》の姿はどこにもなかった。〝侵入〟のあと数秒のうちに、バスローブを着せられ、急いで部屋のドアから外に出されたのだ。

二人の男が、監視カメラで録画したにちがいないものを、リビングスペースにある五二インチの薄型テレビで再生して見ていた。そのテレビ画面は、寝室のベッドのはしに座るウィックスにもよく見えた。二人がテレビをつけた瞬間から、ウィックスは顔を上げて画面を見つめつづけていた。最初に画面に浮かび上がったのは、ソファーに座って緊張ぎみに宝とおしゃべりをする自分自身。男たちは録画を早送りして数分先へ進めた。カメラのアングルが変わった。その第二のカメラは、寝室のベッドわきのコーナーの高い位置に隠されていたようだった。

ウィックスは服をぬぐ自分を見つめた。真っ裸になって立ち、あそこを勃起《ぼっき》させている自分。次いで、ひざまずき、腰を宝の脚のあいだに下げていく自分。

男たちはふたたび録画を早送りした。まるで漫画映画のような速さで旋回しはじめた自分の剝《む》き出《だ》しの生白い尻《しり》を見て、ウィックスは顔をゆがめた。

「やめろ、くそっ」思わず声を洩《も》らし、顔をそむけた。見知らぬ男と女がいっぱいいる部屋で、こんなものを見るなんて耐えられない。たとえひとりだったとしても、セックスをする自分を見ようなんて気にはとてもじゃないけどなれない。彼は心臓をひもでギュッと縛られ、背骨のそばの腰の筋肉をきつく鷲摑《わしづか》みにされたような感覚をおぼえた。

気分が悪くなり、吐くのではないかとさえ思った。

テレビの前に立っていた二人の男のうちのひとりが、振り向いてウィックスのほうを見た。年はウィックスよりも上で、たぶん四五歳ほどだろう。おどおどした犬のような悲しげな目をし、肩幅が狭い。男はレインコートをぬいで前腕にかけながら近づいてきて、ベッドにくっつくように置かれた机の椅子《いす》を引っぱり出すと、それをウィックスの真ん前に移動させて座った。

悲しげな目でウィックスをじっと見つめながら、男は右手を伸ばし、アメリカ人の肩をやさしくたたいた。「こんなことになって実にお気の毒です、ミスター・ウィックス。なんとも荒っぽい押し入りかたでした。お気持ち、察するに余りあります」

ウィックスは目を床に落とした。

流暢《りゅうちょう》な英語だった。アジア風に発音がすこしだけ端折《はしょ》られるイギリス英語。

「わたしは呉方俊《ウーファンジュン》、上海市警の刑事です」

ウィックスは床に落とした目を上げられずにいた。困惑も屈辱も耐えがたいほど大きかった。「お願いですから、どうかズボンをはかせてもらえませんか？」

「すみません、ズボンは証拠品として押収《おうしゅう》しなければならないのです。あなたの部屋から別のものを持ってこさせましょう。部屋番号は１８４４でしたね？」

ウィックスはうなずいた。

右手のリビングスペースでは、五二インチのプラズマテレビがなおもセックスシーンを映し出している。ウィックスはそれをちらっと見やった。別のアングルから撮られた自分が見えた。

先ほど見た映像と同様、見ていて楽しくなるようなものではまったくなかった。

《くそっ、信じられん！　こいつらはリアルタイムで編集していたというわけか？》

自分のうなり声やうめき声が聞こえる。

「あれ、とめてもらえないでしょうか？　お願い、い、い、します」

呉《ウー》は録画のことなどすっかり忘れてしまっていたかのように手をたたき、部屋中に声を響かせて中国語（普通話）で何やら言った。すると、ひとりの男がテレビの前へ急行し、リモコンを数秒間いじりまわした。

ともかくそれで、幸いにもテレビ画面は真っ黒になり、ウィックスの欲情のうめき声も消えて、部屋のなかが静まりかえった。

呉が言った。「これでいい。よろしい。それではと、いま微妙な状況にあるということは、申し上げるまでもありませんよね」

ウィックスは相変わらず目を伏せたまま、黙ってうなずいた。

「われわれはしばらく前から、このホテルにおける……いささか厄介な活動を捜査してまいりました。売春は中国では合法な行為ではありません。女性にとって不健全なことですからね」

ウィックスは何も言わなかった。

「家庭をお持ちですか？」

ウィックスは反射的に家族を巻きこみたくないと思い、「ノー」と言いかけたが、途中でその言葉を呑《の》みこんだ。《くそいまいましいことに、札入れ《ウォレット》のなかにもラップトップのなかにも、おれとシェリーと子供たちの写真がいっぱい入っている。これで

は妻子はいないと言っても通るわけがない》

ウィックスはうなずいた。「妻と子供が二人いる」

「男の子ですか？　それとも女の子？」

「ひとりずつ」

「幸運な方ですね。わたしなんか、息子がひとりだけですよ」

トッド・ウィックスは顔を上げて呉を見つめ、おどおどした犬を思わせる悲しげな目を覗きこんだ。「どういうことになるのでしょうか？」

「ミスター・ウィックス、こんな目に遭われてお気の毒としか言いようがありませんが、あなたがこのような状況におちいったのはわたしのせいではありません。われわれはホテルを告発するための捜査を進めており、それに必要な証拠をあなたに提供していただきます。このホテルによる売春の助長は、ここ上海市にとって大きな心配の種なのです。想像してみてください、もしもご自分の若い娘があのような生活をはじめたら――」

「ほんとうに、ほんとうに申し訳ありません。このようなことはもう絶対にしません。なんでこんなことをしてしまったのか、さっぱりわからないのです」

「あなたが悪い人でないことはわたしにもわかります。もしわたしに決める権限があるなら、ひとりの旅行者が不快なことに巻きこまれたにすぎない不幸な出来事と記録するだけにし、それ以上なにもしません。しかし……理解していただきたいのですが、わたしはあなたを買春行為の疑いで逮捕し、起訴しなければならないのです」呉はにやっと笑った。「だってそうでしょう、このなんとも悲しい犯罪の三角形《トライアングル》の第三の角を提供してくれる人がひとりもいないということであれば、ホテルや売春婦を起訴することもできなくなってしまうのです」

トッド・ウィックスはぼんやりうなずいた。こんな災難が自分の身に降りかかっているということがまだ信じられない。だがそのとき、ある考えが浮かび、彼は興奮で身を揺すりながら顔を上げた。「供述書に署名します。罰金を払います。そして約束します——」

呉は首を振った。目の下にたれているくまが、さらにたれ下がったように見えた。

「トッド、トッド、トッド。それではある種の賄賂《わいろ》をつかませようとしているようにも思えますよ」

「ちがう。もちろんちがいます。そんなことをしようだなんて絶対に思わない——」

「ええ、トッド。わたしもそういうものをもらおうだなんて絶対に思いません。たしかに、ここ中国には腐敗というものがいくらかあります。それはわたしも認めましょう。でもね、他国がほのめかしているほど多くはないですよ。それに、言い過ぎのように聞こえるかもしれませんが、腐敗の多くは西洋の影響によるものです」呉は小さな手をぐるっと振って部屋のなかを示し、ウィックス自身も貧しい祖国に腐敗をもたらした張本人のひとりだと身振りで伝えようとしたが、それを口に出して言いはしなかった。代わりに彼はふたたび首を振り、言った。「助けてさしあげたいのは山々ですが、わたしにできることは何もないのではないかと思います」

ウィックスは言った。「大使館と連絡をとりたい」

「ここ上海にあるのはアメリカ領事館です。大使館は北京にあります」

「では、領事館員と話したい」

「もちろん、そのように取り計らうことはできます。ただ、家庭をもつ男として念のため申し上げておきますが、アメリカの領事館員に今回のことを通知しますと、わが市警としましては領事館に証拠を提供せざるをえなくなります。これが不公正な逮捕・告発ではないことを示すことが重要になりますからね。でしょう？」

トッド・ウィックスはかすかな希望を抱いた。妻を裏切って中国人売春婦を買ったという事実をアメリカ領事館に知られるというのは、さらなる屈辱にはちがいないが、領事館なら自分をこの窮地から救えるかもしれないのだ。

「それに、領事館がこの件を隠蔽《いんぺい》できるなんてお考えにならないようにお願いしますよ。今回のことで彼らができることは、アメリカにいるあなたのご家族に事の詳細を知らせ、中国人弁護士を見つける手伝いをする、くらいのものでしょう」

《くそっ、ふざけやがって》とウィックスは心のなかで悪態をついた。ちらちらと燃えはじめていた希望の火が一瞬のうちに消え去った。

「罪状を認めたら?」

「そのときは、しばらくこの国にいることになります。つまり刑務所に入れられます。もちろん、無罪であると主張する選択肢もあります」呉は頭のうしろを掻《か》いた。「ただ、その場合、あなたはどうやって無罪を主張するのか、わたしには見当もつきません。われわれには、すべてを……すべての行為を映像および音声によって記録した証拠がありますからね。でも、無罪を主張するなら、裁判が行われることになり、それが世間にも知られることになります。アメリカでは確実に世間の注目を浴びることになるでしょう」

トッド・ウィックスはふたたび気分が悪くなり、吐き気をもよおすのではないかとさえ思った。

だがそのとき、呉が何かいい考えでも思いついたかのように人差し指を高くかかげた。「いいですか、ミスター・ウィックス、わたしはあなたが好きです。あなたは脳に蓄えられた知恵ではなく好色な欲望の声に耳をかたむけて重大な過《あやま》ちを犯したのだと、わたしは思っています。そうなんでしょう?」

ウィックスは力をこめてうなずいた。命綱のようなものを投げてもらえるのだろうか?

「あなたをこの状況から救い出す方法がほかにないかどうか、上司たちと相談することはできます」

「あっ……こうしてくれということがあれば……何でもします」

呉は思案ありげにうなずいた。「奥様や二人の小さいお子様たちのためにも、それがベストだと、わたしは思います。では、電話を一本かけてきます」

呉《ウー》は部屋から出ていったが、電話はしなかった。実のところ、だれかに相談する必要などなかったからだ。彼は上海市警の刑事でも、家族をかかえる男でもなく、ホテルを捜査してもいなかった。そう、すべてが嘘《うそ》だった。彼の仕事には嘘をつくことが不可欠だった。呉は中国の情報機関である国家安全部の部員だったのである。トッド・ウィックスは彼が仕掛けた〝蜜の罠《ハニー・トラップ》〟に引っかかってしまったのだ。

呉はふつう、格好のターゲットを自分で探して罠《わな》に誘いこむ。だが、ヴァージニア州リッチモンドに住むトッド・ウィックスの場合はちがっていた。呉は上司たちに技術系企業職員の名前のリストをわたされ、罠にかけるよう命じられたのだ。上海ハイテク・エクスポは世界最大規模のものなので、上司のターゲット・リストにあった男たちのうちの三人が参加することになったのは、それほど驚くべきことではなかった。呉はまずリストの一番目の男にアタックしたが、空振りに終わった。だが、二番目の男で、見事ホームランをはなった。廊下に立っているあいだも呉は、自分がいま凭《もた》れている壁の向こう側のスイートルームにいるアメリカ人は中国のスパイになる話に飛びつくにちがいないと確信していた。

呉は上司たちが何のためにこのトッド・ウィックスを必要としているのか知らなかった。それを知るのは自分の仕事ではなかったし、彼は知りたいとも思わなかった。呉は言わば蜘蛛《くも》の生活を送っていた。彼は生活のすべてを、存在のすべてを、自分が張りめぐらせた巣の動きを察知することに捧《ささ》げていた。新しい獲物が近づいてくるのを教えてくれるピクピクという巣の動きをいつでも感じとれるように生活を律していた。これまでに捕獲したたくさんの獲物同様、トッド・ウィックスはすでに糸でぐるぐる巻きにしてしまった。そこで呉は早くも、同じホテルに宿泊する日本の〝サラリーマン〟のことを考えはじめていた。そいつはすでに蜘蛛の巣に引っかかっている格好のターゲット。夜明けまでにはやはりぐるぐる巻きにできるだろう。

呉は上海ハイテク・エクスポが好きでたまらなかった。

トッド・ウィックスはまだ裸のままだったが、片手で押さえていなくても腰から落ちないほど大きなタオルを持ってきてくれと、官憲のひとりに手振りでしつこく訴え、なんとかその望みを叶《かな》えることはできていた。

呉《ウー》が部屋にもどってきた。ウィックスは期待して顔を上げ、呉を見つめた。だが中国人は悲しげに首を振り、自分よりも若い国家安全部員のひとりに何ごとか告げた。

手錠があらわれ、トッド・ウィックスはベッドから立ち上がらされた。

「上司たちと話し合ったのですが、結局、連行しろと言われました」

「ああ、そんな！　だって、無理です――」

「ここの拘置所はひどいところでしてね、トッド、わたしとしては、あなたのような教育のある外国人をそんな恐ろしいところへ放りこむのは、個人的にも、また警察官としても、面目ないことなんです。だって、ここの拘置所というか刑務所は、あなたの国の同様施設の水準にはとても達しませんからね。それだけははっきり申し上げられます」

「お願いします、ミスター・ウー、わたしをそんなところに連れていかないでくださ い。家族が知ったら大変なことになります。わたしはすべてを失います。破滅です。間違いなく人生がめちゃくちゃになってしまいます。ですから、お願いします、どうかわたしを見逃してください」

呉は一瞬ためらうような表情をした。だが、疲れをあらわにして曖昧《あいまい》に肩をすくめ、そのどういう意味だかわからない仕種《しぐさ》をして見せてから、部屋のなかにいた五人の部員に声をひそめて何やら話した。すると、五人は部屋からぞろぞろ出ていってしまい、呉とウィックスだけが残された。

「トッド、旅行関係の書類を見ますと、あなたは三日後に中国を出ることになっています」

「そうです」

「拘置所で過ごさずにすむようにして差し上げられるかもしれませんが、その場合、あなたにも多少の協力をしていただかないといけません」

「いいですとも！　何だって、どんなことだって、やります」

呉はまだ迷っているようだった。困った、決められない、という表情をしている。

だが、ついにウィックスに歩み寄り、そっと言った。「自分の部屋にもどれ。明日、エクスポ会場で自分の通常の仕事をこなせ。今夜のことはだれにも言うな」

「もちろん！　もちろんです。いやあ、ありがたい、何とお礼を申し上げてよいのか感謝の言葉もありません！」

「あとで連絡が行くが、それはアメリカに帰ってからになるはずだ」

トッド・ウィックスは謝意を表明するのをやめた。「えっ、ほう。なるほど。それはつまり……まあ、言われたとおりやりますよ」

「友だちとしてひとつ忠告しておく、トッド。きみに頼みごとをする人々は、きみが借りを返すことを期待している。彼らは、今夜ここで起こったことに関する、きみの不利になる証拠をすべて、保有しつづける」

「わかりました」ウィックスは応《こた》えた。その言葉は嘘ではなかった。彼はほんとうにわかったのだ。そう、トッド・ウィックスはとりわけて世知に長《た》けている男ではなかったが、この時点で、自分はまんまとハメられたのだと悟った。

《くそっ、やられた！　なんという間抜けなことを！》

しかし、ハメられたにせよそうでないにせよ、こいつらに首根っこをつかまれたことだけはたしかだ。こいつらに言われたことは何でもせざるをえない。さもないと家族があのビデオを見ることになる。

トッド・ウィックスは中国の情報機関にやれと言われたことを何でもしなければならなくなってしまった。

11

ジャック・ライアン・ジュニアは、幹部・上級職員会議を午前一一時からはじめられるように段取りをつけてから、自分の机にもどって、今日中に提出する報告書のための分析をもうすこし進めた。同僚の分析員たちはもっぱら、二カ月前にトルコでリビア人五人が殺されたことを議論するCIAの資料に取り組んでいたが、それはむろんCIAの通信を傍受して得たものだった。当然ながら、CIAは暗殺者たちの正体をとても知りたがっていた。CIA《ラングレー》のスパイたちが出した〝周到に準備・調整された暗殺作戦〟という見解を読んだとき、ジャックは見透かされたような気になって薄気味悪くなったが、同時に興奮もした。

リビア新政権のスパイ機関には、トルコに逃げた元JSO（ジャマーヒリーヤ保安機構）細胞へのこれほど統制のとれた復讐《ふくしゅう》作戦を実行する力はないと、CIAの賢い者たちは確信していたが、それ以上のことについての意見はばらばらだった。

国家情報長官府でもこの問題を数日にわたって検討し、ジャックのガールフレンドであるメラニー・クラフトも、イスタンブールの同時暗殺に関する証拠を調べるよう命じられた。ともかく、かなり頻繁に連絡をとり合っていた細胞のメンバー五人全員が、同じ夜に、それぞれ別の場所で、ちがう殺されかたをしたのだ。これにはメラニーもすっかり感心し、ボスであるメアリ・パット・フォーリ国家情報長官への報告書で、暗殺者たちの腕前を絶賛したほどだった。

そのうちいつか、夜にワインでも飲みながら、実はぼくもその暗殺者たちのひとりだったんだよ、とメラニーに打ち明けたいなあ、とジャックはふっと思った。

《いや、だめだ、絶対にだめ》ジャックはすぐさま、自慢したい気持ちを心から追い払った。

結局、メラニー・クラフトが下した結論は次のようなものだった。その暗殺作戦を実行した者たちがだれであろうと、彼らがアメリカの脅威になりうることを示すものは何もない。アメリカの敵はむしろ彼らがターゲットとした者たちであり、暗殺者たちはかなり大きな危険をおかして、すぐれた技能と狡猾《こうかつ》さで作戦をなんとか遂行した優秀な殺しのプロである。よって、国家情報長官府はこの件にいつまでもこだわっているべきではない。

問題の夜の暗殺作戦についてのアメリカ政府機関の理解はそのように限られたもの

でしかなかったが、リビア人細胞そのものについてアメリカの情報機関がつかんだ情報のなかにはジャックが注目するものもあった。それはNSA（国家安全保障局）が五人のリビア人の携帯電話から引っぱり出すことに成功したメールだった。ジャックはNSAの通信の傍受から得られたその筆記録の翻訳を読んだ。それは暗号化された短いやりとりで、それを読むと、彼らもまたジャック同様、例の〈センター〉とかいう者の正体や最終的な目的について何も知らなかったのだということがわかる。

《妙だな》とジャック・ジュニアは思った。《彼らは何者なのか見当もつかない謎《なぞ》に包まれた雇い主のために働いていたというのか？　そんなことってありうるのか？》

あのリビア人たちが完全な間抜けだったのか、それとも彼らの新しい雇い主が自分のセキュリティ保全に途方もなく長《た》けていたのか、そのどちらかだ。

リビア人たちが完全な間抜けだったとは思えない。彼らは自分たちのPERSEC（個人《パーソナル》セキュリティ）については気を抜いてしまっていたかもしれない。だがそれは、自分たちを追っている組織はリビアの新生情報機関だけだと思っていたからだ。元JSOマンたちは後継機関の能力を見くびり、油断していたのである。要するに〈ザ・キャンパス〉が一枚上だったというわけだ。

こう思うと自然と笑みが浮かび上がりそうになったが、ジャックはそれを抑えてモニター上のファイルの中身を調べつづけ、会議で幹部や上級職員に伝える価値のあるＣＩＡ情報がほかにないか探した。

と、そのとき、ジャックは背後に人の気配を感じた。首をまわして肩越しにうしろを見ると、自分をぐるりと取り囲んでいるラップアラウンド・デスクのはしに従兄《いとこ》のドミニク・カルーソーが座っていた。そしてそのうしろにはサム・ドリスコルとドミンゴ・シャベスが立っている。

「おやおや、みなさん」ジャックは言った。「わたしもあと五分ほどで会議室へ向かえます」

やってきた三人はみな、深刻そうな顔つきをしている。

「どうしたんですか？」ジャックは訊《き》いた。

シャベスが答えた。「クラークがやめる」

「やめるって、何を？」

「ヘンドリーとグレインジャーに辞意を表明し、承認されたんだ。私物を片づけるのに一、二日かかるだろうが、今週の半ばまでにはここから出ていく」

「そんな馬鹿《ばか》な！」ジャックは反射的に不吉な予感をおぼえた。クラークにはいてもらわないと困るのである。「なぜ？」

今度はドミニクが答えた。「手がね、めちゃくちゃなままなんだよ。それに、去年テレビでさんざん採り上げられたので、自分がここにいつづけると、〈ザ・キャンパス〉の存在を危うくする可能性もある、という心配もあったんだそうだ。もう決心した。考え直すことはない」

「きっぱり手を切れますかね？」

シャベスがうなずいた。「ジョンは中途半端《はんぱ》なことはしない。これからはお祖父《じい》ちゃん、夫になろうと精を出すはずだ」

「田舎の資産家《カントリー・ジェントルマン》にもなるんだろうな」ドミニクがにやっと笑って言った。

シャベスは笑いを洩《も》らした。「まあ、そういうものになるのかな。いやはや、こんな結末になるとはねえ、信じられん」

会議は五分遅れてはじまった。ジョン・クラークは出席しなかった。ジョンズ・ホプキンズ大学病院の担当の整形外科医の診察を受けにボルティモアまで行かなければならなかったからだが、大げさな〝さよならの儀式〟は性に合わなかったので、みんなが九階の会議室へ向かっているあいだにこっそり会社を抜け出した。

会議がはじまると、まずはジョン・クラークと彼の辞職のことが話題になったが、ヘンドリーは早々に出席者の注意を当面の問題に向けた。

「よし。われわれはここのところずっと、困惑して頭をかいたり、びくびくしてあたりを見まわしたりしてばかりいる。今日もまた、わかったことはたいしてないとジャックに言われてしまった。だがこの会議では、例のHDD《ドライヴ》への徹底的な〝解剖検査〟で新たに判明したことについて、ジャックとギャヴィンから説明してもらえることになった」

ジャック・ジュニアとギャヴィン・バイアリーは一五分にわたって話し、イスタンブールで手に入れたハードディスクドライヴへの調査で知りえたことにCIAの情報源から得られたことも加え、新たにわかったことすべてについて説明した。こうして二人は、〈センター〉によるエマド・カルタルのコンピューターへのハッキング、〈センター〉がイスタンブールのリビア人たちに与えた仕事について語り、さらに〈センター〉がリビア人細胞をそのうちネットワーク侵入にも使うつもりだったようだが途中で心変わりしたふしがあることなどについても話した。

二人の説明がひととおり終わると、ジェリー・ヘンドリーが他の出席者全員が知りたがっていることを訊いた。「しかし、なぜなんだろう？　なぜ、この〈センター〉とかいう男は、自分のイスタンブールの〝資産《アセット》〟である細胞メンバー全員がきみたちに殺されるのを何もしないで見ていたのだろう？　考えられる理由は？」

ジャックは会議室を一度ぐるりと見まわしてから、指でテーブルを小刻みにたたきはじめた。「確かなところはわかりません」

「だが、そうではないかと思っていることはある？」

ジャックはうなずいた。「〈センター〉はしばらく前から、われわれが細胞メンバーのリビア人たちを殺そうとしていることを知っていたのではないかと、わたしは思っているのです」

ヘンドリーは驚愕《きょうがく》した。「あの夜の前にわれわれのことを知っていた？　どうやって知ったというんだ？」

「見当もつきません。それに、その推測自体が間違っているかもしれませんし」

シャベスが訊いた。「きみの推測が正しいとすると、ではいったいなぜ〈センター〉は、おれたちがリビア人たちを殺しにトルコに行くことを知っていたのに、その配下の者たちに危険を通告して注意をうながさなかったのだろう？」

ジャックは答えた。「これもまた、推測にすぎませんが……彼らは〝餌《えさ》〟だったのではないですかね。〈センター〉はわれわれがどのように行動するのか見たかった。われわれに作戦遂行能力があるのかどうか確認したかった。そういうことだったのかもしれません」

ジャックの直属の上司、リック・ベル分析部長が、ぐっとテーブル上に身を乗り出した。「そいつは凄《すさ》まじい論理の飛躍、主観的分析と言わざるをえないな、ジャック」

ジャックは両手を上げて降参の仕種《しぐさ》をした。「はい。その評価は一〇〇%正しいです。いまのところまだ、そんな気がするというだけですからね」

「あくまでもデータのみに導かれること。気持ちに引っぱられてはいけない。気を悪くしないで聞いてくれ──きみは隠しカメラに写されたことでビクビクしているだけなんじゃないかね」ベルは注意をうながした。

ジャック・ライアン・ジュニアは返す言葉がなかったが、分析部長の言うとおりだと思いもしなかった。ジャックにもプライドというものがあり、自分が先入観に引きずられているということを認めたくなかった。だが、心の奥底ではベルが正しいことを知っていた。「わかりました。いまのところまだ、パズルのピースを組み合わせようとしている段階ですからね。それに根気よく取り組みつづけます」

ドミンゴ・シャベスが言った。「ほかにもわからないことがあるんだが、ギャヴィン」

「何だね？」

「〈センター〉とかいう……明らかにリビア人細胞を支配していたこの野郎。こいつは自分が監視していることをライアンに知らせたかったんですよね」

「そう、間違いなくね」

「マルウェアのかすかな痕跡《こんせき》を残してしまったとはいえ、それ以外のすべてを消し去ることができた野郎が、なぜ自分や作戦に関するEメールをきれいさっぱり削除しなかったんだろう？」

ギャヴィン・バイアリーは言った。「実はわたしもこの何週間か、そのことを懸命に考えつづけてね、ドミンゴ、いまではその謎は解けたと思っている。〈センター〉はエマド・カルタルのコンピューターへの侵入に成功するやすぐ、マルウェアの送付部分《デリヴァリー》の削除にとりかかったが、HDD《ドライヴ》の他のところに記録されていたEメールなどを消し去りはしなかった。コンピューターがハックされたことをカルタルに気づかれたくなかったからだ。そして、ライアンがマンションに侵入してカルタルを片づけたとき、〈センター〉は暗殺チームの他のメンバーたちの写真をコンピューターに送りこんだ。なぜそんなことをしたかというと、そうすればライアンがそれを見てEメールで自分のアドレスに転送するか、机上のUSBメモリかDVDをつかんでコピーするにちがいない、と考えたからだ」

ジャックが言葉を割りこませ、あとを承《う》けた。「そして、わたしがそのUSBメモリかDVDをここ〈ザ・キャンパス〉に持ち帰り、その中身を自分のコンピューターで見ようとする」

「そういうこと。なんとも狡猾な手だったが、やつは失敗した。やつはジャックがデータを〈ザ・キャンパス〉に移動させるにあたってとりうるあらゆる方法を考えた。いや、ひとつだけ考えなかったことがある」

ヘンドリーが言った。「コンピューターをまるごと盗むこと」

「そうです。まさかジャックがコンピューターを抱えて玄関から走って逃げるとは、〈センター〉も予想していなかったはずです。それは間抜けすぎたので素晴らしい方法になった」

ジャックは不満げに目を細くした。「〝間抜け〟は余計、〝素晴らしい〟だけでいいんじゃないですか」

「まあ、どちらでも。重要なのは、きみがデータをコピーしたUSBメモリやDVDを持ち帰ってその中身を調べるということをしなかった、ということさ」

ジャックはよく理解できずにいる出席者のために説明した。「やつはわたしを利用してウイルスをわれわれのシステムに植え付けようとしたのです」

バイアリーはつづけた。「そのとおり。Ｅメールはやつがきみの目の前にぶらさげて見せた餌だったんだ。きみはその餌に食いついた。だが、そのあと、きみはやつの予想を裏切り、コピーしたデータではなくコンピューターをそっくりそのまま抱えて逃げた。〈センター〉は警察が来る前にコンピューター内の不都合なデータを完全に消してしまうつもりだったにちがいない」

　ヘンドリーがバイアリーに訊いた。「その〈センター〉のやりかたで、ウイルスをわれわれのシステムに感染させることはできるのかね？」

「やつのマルウェアがよくできていれば、可能です。わたしがつくりあげたネットワークは、侵入を阻止するセキュリティという点では、どんな政府機関のものよりも優れています。それでも……サムドライヴやＵＳＢケーブルを不用意に使うアホ野郎がひとりいるだけで、そのセキュリティも完全に崩壊してしまいます」

　ジェリー・ヘンドリーはしばし中空を見つめてから言った。「ギャヴィン、ジャック……きみたちの今日の説明はみな、不安を募らせるものばかりだ。われわれについてこちらが望むよりもずっとよく知っている者がいるにちがいないという思いがさらに強まった。その仮想敵が何者なのかはわからないが、情報が充分に得られるまでは、このまま作戦中止を継続する。リック、ジャック、きつい仕事とは思うが、他の分析員たちと〈センター〉の正体をつかむ作業にひきつづき全力を投入してくれ。NSA《フォート・ミード》とCIA《ラングレー》から得られる全通信に目を通すんだ」

ヘンドリーはギャヴィン・バイアリーのほうを向いた。「ギャヴィン、きみはどう思う？〈センター〉は何者で、だれのために活動しているのか？なぜやつはこんなことまでしてわれわれのシステムに侵入しようとしたのか？」

「さっぱりわかりません。わたしは分析員ではありませんしね」

ジェリー・ヘンドリーは不満げに首を振った。「現時点で最もありうると思われる推測でいい。それを訊いているんだ」

ギャヴィン・バイアリーは眼鏡をはずし、レンズをハンカチでふいた。

「どうしても推測しなければいけないということでしたら、そうですね、『この地球上で最も優秀で、最も無慈悲な、最高度に組織化されたサイバースパイ活動・サイバー戦集団』ということになります。

ということは、まあ、中国でしょうね」

会議室に低い嫌悪《けんお》のうなり声が湧《わ》き上がった。

12

韋真林《ウェイジェンリン》は高いグラスをかたむけて黄色いピーチジュースを喉《のど》に流しこんだ。彼は陽光のなかに立っていた。足の指は濡《ぬ》れた小石混じりの砂のなかに沈み、海水が剝《む》き出《だ》しの脚を洗っている。寄せてくる水が足首まで上がって、濡れないように脛《すね》までまくり上げているズボンのはしに触れそうになる。

韋《ウェイ》は海水浴客のようには見えなかった。彼は白いピンポイント・オックスフォードシャツに斜めストライプのネクタイ《レジメンタル・タイ》をしめ、鉤形《かぎがた》にした人差し指でカジュアルな上着をひっかけて肩にのせ、海をながめていた。青緑色の海水が真昼の陽光を浴びて輝いている。

晴れわたった清々《すがすが》しい日だった。ここには一年に何度も来たいものだ――いつのまにかそう思っている自分に韋は気づいた。

背後から声がかかった。「総書記《ソンシュージ》！」総書記は韋が得た地位のひとつだ。彼は国家主席でもあったが、スタッフは国家主席の役割・権力よりも中国共産党総書記のそれのほうがずっと大きく強いと考えていた。

中国では共産党のほうが国よりも地位が高いのである。

韋は呼び声を無視した。彼は岸から一マイルほどしか離れていないところに浮かぶ灰色に塗られた二隻《せき》の船をながめていた。二隻とも沿岸用の062C型哨戒《しょうかい》艇で、機関砲と対空砲の砲口を空に向けて静かな水面にじっと浮かんでいる。いかにも強そうで、頼もしくも、不気味にも見える。

だが、韋にとってその二隻は不充分さの象徴だった。なにしろ海は広いのだ。空だって広い。そして海も空も脅威に満ちているのである。中国には強力な敵がいくつも存在していることを彼は知っていた。

そして彼は心配していた。これからする最高位の軍当局者との話し合いで、敵の数がさらに増えるのではないか、と。

中国における最高指導部は、九人の委員からなる中国共産党中央政治局常務委員会である。このわずか九人の委員会が一四億人の中国国民を動かす政策を決定するのだ。

そして毎年七月、中央政治局常務委員たちは、数百人とまではいかないにせよ数十人のスタッフを引き連れて北京の執務室を離れ、一七五マイル（約二八〇キロ）ほど東へ旅し、北戴河《ベイダイホー》の人里離れたビーチ・リゾートに向かう。

中国とその国民に大きな影響をおよぼす戦略的意思決定は、北京ではなく北戴河の森や浜辺に建つ家屋の小さな会議室で下されることのほうが多い、とさえ言われている。

今年のこのいわゆる北戴河会議の警備は、近年では類を見ないほど厳重だった。そしてそれほど警備が厳重になったのにはもっともな理由があった。国家主席にして共産党総書記、韋真林は、人民解放軍の支持のおかげで権力を保持することができていたが、共産党に対する民衆の異議申し立ては勢いを増すばかりで、いくつかの省で炸《さく》裂《れっ》するように勢いよく発生した国民の抗議集会や反抗が、一九八九年の天安門事件以来の規模にまで膨れ上がっていたのである。さらに、クーデター首謀者たちは逮捕され投獄されはしたものの、彼らの仲間で高い地位にとどまった者が少なからずいる、という事情もあった。韋は第二のクーデターを何よりも恐れていた。九〇年以上にもわたる中国共産党の歴史のなかでも、党がいまほどバラバラになったことはなかった。

数カ月前、韋は、警護班長の通報があと一秒遅かったら自分の脳に弾丸を撃ちこんでいた、という体験をした。そしていまも、毎夜のように、その瞬間を夢に見て、脂《あぶら》汗《あせ》をべっとりかいて目を覚ます。その悪夢のせいで病的疑り深さ《パラノイア》に苦しむようにもなった。

ただ、そのようにびくびく怯《おび》えていたのはたしかだが、韋はしっかり護《まも》られていた。治安機関と軍に所属する者たちが厳重な警護体制を維持して彼を護りつづけていたのである。というのも、いまや治安機関と軍は彼を権力の座に据えつづけることによって利益を得ようとしていたからだ。彼らは言わば韋を自分たちの所有物とし、それを壊されないように護っているのである。

だが、韋にとってはそういう状況は心地よいものではまったくなかった。人民解放軍が自分に牙《きば》を剝く可能性はいつだってあると彼にはわかっていたからである。保護者が処刑人に豹変《ひょうへん》する可能性は大いにあるのだ。

北戴河会議はきのう閉幕し、出席者の大半はすでに喧騒《けんそう》とスモッグの北京へもどっていたが、韋総書記は西への旅を一日遅らせ、中央政治局のなかの最大の同盟者と会って話し合うことにしていた。中央軍事委員会主席の蘇《スー》将軍と話しておかねばならないことがあったのだ。会談を将軍に申し入れたとき韋は「北京の政府機関のオフィスでは危険すぎて持ち出せない問題を話し合いたいのでね」と説明した。

韋はこの非公式の会談に大きな期待を寄せていた。北戴河会談そのものは失敗に終わったからである。

彼は一週間にわたる会談の冒頭で、中国経済の暗い見通しを新たな事実を紹介しつつ率直に披露した。

クーデター未遂のニュースも、怯えて中国から手を引く投資家の数を増やしただけで、中国経済をさらに弱体化させた、と韋が説明すると、政敵たちはその事実までも彼を責める材料として利用した。韋が中国市場を世界に開放したから、中国は〝資本主義淫売国《いんばいこく》〟からの恩恵を受けてやりくりしなければいけなくなったのであり、投資家が中国から逃げ出したことで経済が弱体化したのも、そもそも韋の大本の経済政策が間違っていたことを示すもうひとつの証拠にすぎない、というのだ。中国が資本主義国に門戸を閉ざし、同じ考えをもつ国とのみ交易しつづけていれば、経済がこんなに脆弱《ぜいじゃく》になることはなかったのだ、と彼らは言い張った。

韋は政敵たちのこうした主張に耳をかたむけた。彼らの言うことを表情ひとつ変えずに黙って聞いていた。だが、馬鹿《ばか》げた主張だ、こんなことを言うなんてなんという愚か者たちだろう、と思った。中国は世界との貿易から多大な利益を得てきたのである。もしこの三〇年間、門戸を閉ざしたままだったら、世界の他の国々が仰天するほどの経済発展を遂げるなか、中国は北朝鮮のように屈辱をなめつづけていただろう。

いや、貧しい民衆が共産党中枢《ちゅうすう》地区の中南海《ヂョンナンハイ》を襲撃し、政府機関で働く者たちは男も女もひとり残らず殺されていたにちがいない。

クーデター未遂が起きて以来、韋は新政策づくりにたゆみなく取り組み、ほとんどひそかに、自分の政権を崩壊させることなく中国経済という船を正しい方向へ向ける新プランを辛抱強く練りつづけてきた。そしてその新プランを北戴河会議にかけた。するとたちどころに中央政治局常務委員の面々はそれをはねつけた。

彼らは韋にはっきりとこう言った。今日の経済危機を招いた責任はあなたにある。支出を抑え、賃金を下げ、利益を減じ、経済発展を減速させる国内緊縮政策のいかなる部分も絶対に支持できない。

だから韋はきのうの北戴河会議閉幕時に、自分が望ましいと思っていた方策をとることは不可能だと知った。

それゆえ今日、次善策のための根回しをしておこうと思ったのだ。この第二の方策はうまくいくが、それを実行するには、第一の方策が国民に強いる短期間の痛みと同等かそれ以上のハードルを越える必要がある。

波打ち際《ぎわ》に立ちつづけていると、背後からふたたび声がかかった。「総書記《ゾンシュージ》！」

声のほうへ振り向くと、自分をびっしり取り囲んでいる警護兵の隙間《すきま》から呼んでいる男がいた。秘書官の察《チャー》だった。
「もう時間か？」
「いま連絡を受けたのです。蘇中央軍事委員会主席が到着しました。もどりません
と」
韋はうなずいた。できれば、こうやってシャツとズボンをまくり上げた格好で、こ
こに一日中いたかったが、やらねばならない仕事があり、それは遅らせることができ
る類《たぐい》のものではなかった。
彼は波打ち際から出て、浜を歩きはじめた。やるべきことをやるために。
韋真林《ウェイヂェンリン》はリゾート地の自分専用の宿泊施設に隣接する小さな会議室に入った。蘇《スー》
克強《コーチアン》共産党中央軍事委員会主席が待っていた。
二人はいちおう形だけ抱き合った。韋《ウェイ》は蘇《スー》将軍の左胸に飾られたいくつもの勲章
が自分の胸にあたるのを感じた。
韋は蘇が好きではなかった。だが、蘇の助けがなければ、いまこうやって権力の座
に座ってはいられなかっただろう。生きてもいられなかったはずだ。
おざなりのハグがすむと、蘇は笑みを浮かべ、華美な装飾をほどこされた中国の伝

統的茶器セットが載っている小さなテーブルの席についた。身丈六フィート（約一八三センチ）を超える大柄の将軍が自分と韋に茶を注いでいるあいだに、二人の秘書官が壁際の椅子《いす》に座った。

「わたしと話し合えるように居残ってくれ、ありがとう」韋は言った。

「水臭い、同志《トンチー》」二人は〈太子党〉であり、幼馴染《おさななじみ》なのだ。

最初はよもやま話、他の中央政治局常務委員に関する噂話《うわさばなし》、今回の北戴河《ベイダイホー》会議についての軽い意見交換だったが、すぐに韋の目が真剣になった。「わたしはね、同志《トンチー》、知ってのとおり、このまま捨て身の方策を講じなければ、すぐにでも悲惨な事態になるということを、委員たちにわかってもらおうと努力してきた」

「たしかにきみにとっては困難な一週間だったね。ただ、言うまでもないが、人民解放軍はきみを全面的に支持しているし、わたし個人もきみを支持している」

韋は微笑《ほほえ》んだ。とはいえ、蘇将軍の支持が無条件のものではないことくらい韋は承知していた。それは〝韋が共同歩調をとる〟という条件のついた支持なのだ。

そしていま韋はまさにその共同歩調をとろうとしていた。「きみの指揮下にある軍の準備状態について話してくれないか？」

「準備状態？」

「そう。わが軍は強いのか？　準備ができているのか？」

蘇の両眉《まゆ》が上がった。「準備って、何に対する？」

韋は溜息《ためいき》をついて見せた。「わたしは痛みをともなうがどうしても必要な緊縮型の国内政策を実施できるよう努力した。そしてそれに失敗した。しかし、現在の五カ年計画が終わるまでに何の手も打たなかったら、中国の発展は三〇年以上前のレベルに後退し、われわれは権力の座から追われ、新しい指導者たちによって中国はさらに後退することになる」

蘇は何も言わなかった。

韋はつづけた。「こうなった以上わたしは、中国をより強大にするための新たな方策を講じる責任を引き受けなければならない」

韋は蘇の目をまっすぐ見つめ、将軍の目に喜びの表情がゆっくりと広がっていくのに気づいた。蘇もようやく理解したのだ。

蘇は返した。「その新たな方策を実行するのにわが軍が必要になる、というわけかな？」

韋はうなずいて答えた。「このわたしの計画を実行すれば、最初は……抵抗があるかもしれない」

「国内の抵抗かね？　それとも国外からの抵抗？」蘇は尋ね、お茶をひとくち飲んだ。

「わたしが言っているのは外国の抵抗だ、主席」

「なるほど」蘇は事もなげにさらりと言った。

自分はいままさに将軍の望みを叶《かな》える提案をしようとしているのだ、と韋は思った。

蘇は茶杯《チャーベイ》をおき、さらに尋ねた。「で、きみはどのような提案をしようというのかね？」

「地域でふたたび幅を利《き》かせられるように、わが軍による戦力投射《パワー・プロジェクション》を提案しようと思う」

「それで得られるものは？」

「生き残り」

「生き残り？」

「悲惨な経済破《は》綻《たん》をふせぐには、領土を拡大し、原料の新たな供給源を得て、新しい製品と市場を開拓するという手しかない」

「拡大するって、どのような領土のことを言っているのかね？」

「わが国は南海《ナンハイ》でもっと積極的・攻撃的に国益を追求する必要がある」中国では南シナ海を南海と呼ぶ。

蘇はかぶっていた〝無関心のヴェール〟をぬぎ捨て、力強くうなずいた。

「そのとおり。それはわたしの考えと完全に一致する。最近、隣国とのあいだで厄介なことがよく起こる。南海の支配権は間違いなくわが国にある。それなのに南海はわれわれの手からこぼれ落ちようとしている。フィリピン議会は領海基線法案を採択し、わが国の領土の一部である黄岩《ファンイエン》島――スカボロー礁《しょう》――に対する主権を主張した。インドはヴェトナム沿岸沖の海洋油田の探査をヴェトナムと共同で推し進めることにし、新空母をその海域に移動させると脅して、わが国を挑発し、われわれの決意を試している。

そしてマレーシアとインドネシアは、南海のわが国の排他的経済水域を頻繁におかし、その海域でのわれわれの漁業活動に深刻な影響をおよぼしている」

「まさにね」韋は蘇が指摘した点すべてに同意できた。

中央軍事委員会主席は笑みを浮かべながら言った。「慎重に計算して南海への進出を遂げれば、わが国の経済を強化できる」

韋は基本的なことを理解できずにいる学生に失望した教授のように首を振った。

「いや、蘇主席、それだけでは中国を救うことはできない。わが国の経済問題の深刻さをもっとしっかりきみにも説明しておくべきだったようだね。南海の漁業だけでは中国をふたたび繁栄させることはできない」

この人を見下すような態度にも蘇将軍は表情をすこしも変えなかった。「では、まだあとがある？」

「南海の完全支配は第一部にすぎない。その後、第二部、第三部を実施する必要がある」韋はここでいったん言葉を切った。これから自分が言うことを蘇は予想できていないとわかっていた。

自分はいま思い切って跳び降りようとしているのだということもわかっていた。次の言葉を口にしたら最後、もう後戻りはできない。

さらにしばしためらってから韋は言った。

「第二部は、香港《ホンコン》の本土への完全な組み込み。香港基本法を廃止して、香港を経済特区とすること。長期にわたる政策である『一国二制度』は、むろんそのままにするが、香港を本土に組み入れて、真の一国を実現したい。中国政府《ペキン》は香港の資本主義者たちから収益を吸い上げるべきなのだ。それは一方的な収奪ではない。われわれは彼らに安全を提供しているのだからね。わたしの経済顧問たちによれば、香港とその下劣な従弟《いとこ》のマカオを本土に取り込んで、深圳《シェンチェン》経済特区に組み込めれば、そこから受け取れる金銭《ジンチエン》を現在の四倍にすることができるという。金銭《ジンチエン》というものは、あそこで自分たちのためにたんまり稼いでいる資本主義者たちだけでなく、中国共産党をも支えることができる。

そして同時に、学校教育に『徳育及国民教育科』を導入してそれを推進し、香港政府職員の共産党入党をも強力にうながしたい。香港では〝愛国心〟という言葉がさげすみの対象になってしまっているが、そんなことは終わらせないといけない」

蘇はうなずいた。将軍の頭が回転しはじめるのが韋にもわかった。いま将軍は香港という〝半自治国家〟の抵抗について考えているのだろう。むろん、イギリス、ＥＵ、アメリカ、オーストラリアといった、香港に莫大《ばくだい》な投資をおこなっている国々の反対、妨害についても考えているにちがいない。

香港は一九九七年にイギリスから、マカオは一九九九年にポルトガルから、それぞれ中華人民共和国に返還されたが、以来、両地域は中国の特別行政区とされ、資本主義経済体制と大幅な自治を享受《きょうじゅ》している。それは中国の合意によって返還後五〇年つづけられることになっている。香港とマカオの自治を取り消して両〝都市国家〟を本土にもどそうと言いだした中国人は、いまのところひとりもいない。もちろん、そういう提案をした中国の指導者もひとりもいない。

蘇は言った。「なるほど、なぜ最初に南海を支配下に収める必要があるのか、それでよくわかった。香港を現状のままにしておくのが国益にかなうと考え、そのためには戦闘も辞さないという国がたくさんあるということだね」

韋は将軍の言葉をほとんど振り払うような仕種《しぐさ》をした。

「そう。ただ、わたしは、自分がビジネスマンであり、自由市場資本主義の支持者であるということを、国際社会に明確に示そうと思っている。香港およびマカオの施政方法は変わるとしてもほんのわずかであり、諸外国にとっては感知できないほど微細なものになるということを、はっきりさせるつもりだ」

蘇中央軍事委員会主席が口をひらくよりも早く、韋共産党総書記は言葉を継いだ。

「そして第三部は、わが国の積年の目標である台湾の併合。これを正しい方法でおこない、台湾を中国最大の経済特区とすれば、その経済力のほとんどすべてを保持することができると、わが経済顧問たちは推定している。もちろん、〝中華民国〟とその同盟国の抵抗には遭う。だが、わたしは武力で台湾を奪おうと言っているのではない。外交と経済的圧力で台湾をとりもどそうと言っているのだ。具体的には、彼らが使用する海上交通路を制限する。そうやって、ゆっくり時間をかけて台湾の連中にわからせるのだ――新中国の誇り高き一員になるという未来を受け入れるのが、唯一《ゆいいつ》の現実的な選択肢であるということをね。

いいかね、蘇主席、中国の経済特区というのは、このわたしがつくりあげ、改良し、それこそ人生をかけてたゆまず促進しつづけてきた経済モデルであり、世界中から〝資本主義との融和を実現する成功モデル〟と見なされている。わたし個人も欧米から〝好ましい変革の旗手〟と目されている。わたしも馬鹿ではない——世界がわれわれの目的をはっきり知ったら、自分の評判が地に落ちることくらいわかっている。だが、そんなことはわたしにとって取るに足らないことだ。いま必要としているものを手に入れられれば、われわれは現在予測しうるレベルをはるかに超える経済成長を実現できるのだ。そしてわたしは、そうしたわが国の行動で損なわれる諸外国との関係の修復に責任をもって取り組む」

蘇将軍は計画の大胆さに驚きを隠せなかった。なにしろ、提案したのは温厚な国家主席なのだ。おまけにその男は数字をいじくるエコノミストで、軍を指導したことなどいちどもない。

韋は将軍の顔に浮かぶショックに近い表情に気づいた。そして微笑んだ。「わたしはアメリカ人をしっかり観察してきた。だから彼らがどういう人々なのかわかる。彼らの経済はもちろん、文化や政治も理解している。アメリカには『ニクソンだから中国に行けた』という格言がある。知っているかね？」

蘇中央軍事委員会主席はうなずいた。「もちろん」

反共でタカ派のニクソン大統領だからこそ、訪中でき、米中国交の礎《いしずえ》を築くことができた、というのがその格言の意味だ。

「だからね、蘇主席、そのうちアメリカに『韋だから台湾をとりもどせた』という新しい格言が生まれることになる」

蘇はショックからすこし立ち直った。「あの……ごたごたのあと、中央政治局委員は新メンバーに代わったとはいえ、彼らを説得するのは難しい。この一〇年ほど、ほとんど休みなく、隣国との問題や海洋領有権問題に関してもっと強硬な態度をとるよう働きかけてきた、このわたしが言うのだから間違いない」

韋はわけ知り顔でうなずいた。「最近発生したあの事件で、わたしも思い知った。わたしはもう、理屈だけで同志たちを説得できるとは思っていない。同じ誤りは二度おかさない。だからわたしは、政治工作ときみの戦力投射《パワー・プロジェクション》をひそかにゆっくりと推し進め、まずはわが構想の第一部を現実のものにしてしまいたい。そしてそのあと、第二部、第三部にとりかかるのだ。二つの価値ある目標物をとりかこむ海を先に完全に支配してしまえば、中央政治局委員たちにもゴールに到達するのは決して難しいことではないとわかるはずだ」

最初は小さなことからはじめ、小事を次々に積み重ねていって、ゴールへ近づいていき、いつのまにか大きな獲物を仕留めてしまう、というのが韋の戦略なのだと蘇は解釈した。

「どういうタイム・スケジュールを考えているのかね、同志《トンヂー》？」

「言うまでもないが、その決定にはきみの助けがぜひとも必要だ。しかし、経済的側面を考慮して推算すると、二年以内に南海――つまりわが国の沿岸から南方へ五〇〇マイルほど広がる海域――を領海として支配するべきだと、わたしは思う。三五〇万平方キロの海を支配下におさめるわけだ。そしてその一二カ月後に、香港、マカオに関する合意を取り消し、両地域を本土に組み込む。最後の台湾併合は遅くとも五年後には実現しないといけない」

蘇はすぐには言葉を返さず、慎重になってしばし考えこんだ。そして言った。「大胆なやりかただ。だが、みな必要なことだとわたしも思う」

蘇は軍産複合体に関することはいちおう知っているだろうが、中国経済全体についてはほとんど知らない、と韋は読んでいた。将軍は中国経済を生き返らせるのに何が必要になるものかも知らないはずだ。蘇の望みは、軍隊を動かしたい、戦力投射《パワー・プロジェクション》をしたい、ただそれだけ。

韋はそう思いはしたが、口に出しはしなかった。代わりにこう言った。「きみの同意を得られて嬉《うれ》しい、主席。どのステップでもきみの助力が必要になるからね」

蘇はうなずいた。「きみは今日の話し合いの冒頭で、わが軍の準備状態について尋ねた。きみが求めている海上支配のための海上拒否作戦《シー・ディナイアル》は、わが海軍には充分に遂行可能なものだが、これについては海軍の提督たちおよび情報参謀とさらに詳しく検討したい。きみがいま言った各段階を踏まえて、わが配下の軍幹部たちに話し、作戦立案をおこなうので、数日の検討期間をもらいたい。わが情報参謀なら、われわれが必要とするものを正確に指摘できる」

韋はうなずいた。「ありがとう。素案を作成し、一週間後にはわたしに直接手わたしてほしい。北京のわたしの私的な居住施設でまた話し合おう。そこだけでね」

蘇は話し合いが終わったことを悟って立ち上がり、二人は握手をかわした。蘇中央軍事委員会主席の頭のなかにはすでに、南シナ海のあらゆる島嶼《とうしょ》、砂州、岩礁を奪取するための詳細な作戦計画があるにちがいない、と韋国家主席は思った。さらに、台湾への海上アクセスを完全に拒否する――つまり海上封鎖をおこなう――作戦プランも、砲弾やミサイルによって台湾を〝石器時代〟にもどしてしまう作戦プランもあるはずだ。しかし、香港の本土組み入れに関しては、まだたいした非常事態対策プランもないのではないか。それでも一週間もあれば、あるていどの計画を作成できるだろう。

ともかく蘇は恍惚《こうこつ》状態で司令部にもどり、これから実行できる軍事活動について参謀たちに話すにちがいない。韋はそう確信していた。

一〇分後、蘇克強《スーコーチアン》中央軍事委員会主席は、自分を一七五マイル離れた首都まで一気に運ぶ八台からなる護衛車隊が待つところに到着した。重要な指揮活動のさいにはかならず同行して補佐する、副官の夏《シア》少将がいっしょだった。夏は韋《ウェイ》との会談にも同席していて、黙って二人の会話に耳をかたむけ、メモをとっていた。

装甲仕様の高級車・栄威《ロンウェイ》950セダンのバックシートに乗りこむと、二人の男は互いに顔と顔を見合わせ、しばらくそのまま見つめ合った。

「お考えは?」夏少将はボスの蘇上将(大将)に尋ねた。

蘇はタバコに火をつけて言った。「われわれが南海《ナンハイ》に警告の砲弾を何発か撃ちこめば、国際社会は引きさがり、中国は邪魔されずに前進できる、と韋は考えている」

「で、どう思われるのですか、主席は?」

蘇はライターを上着のポケットにもどしながら、にやっと笑って見せた。狡賢《ずるがしこ》そうなこそこそした笑みだったが、心底嬉しそうではあった。「われわれは戦争をすることになるとわたしは思う」

「どこと戦争をするのですか、主席？」

蘇は肩をすくめた。「アメリカとだ。決まっているだろう」

「こんなことを申し上げるのは失礼かとも思うのですが、主席、不機嫌なようには見受けられませんが」

蘇はタバコの煙に包まれたまま声をあげて笑った。「わたしはその戦いを歓迎しているんだよ。われわれは準備ができている。迅速かつ断固たる行動をとって外鬼子《ワイグイズ》どもの鼻づらを叩《たた》き、鼻血を出させるだけで、われわれは地域におけるあらゆる目標を追求できるようになる」上将はいったん言葉を切り、すこし顔を曇らせてから言葉を継いだ。「われわれは準備ができている……ただ、即座に行動を開始しなければならない。五年かけてやるという韋のプランは馬鹿げている。彼が口にした目標はすべて、一年以内に達成しないといけない。そうしないと、永遠に達成できない。電撃戦、あらゆる戦線での迅速な攻撃によって、新たな現実をつくりあげてしまうのだ。そうやって、それを受け入れる選択肢しかないところへ世界を追いこむのだ。勝つにはその方法しかない」

「韋は乗ってくるでしょうか？」

上将はバックシート上で大きな体を動かし、窓の外を見やった。八台からなる車列が北京に向かって疾走していく。

決然たる口調で蘇中央軍事委員会主席は言いはなった。「いや。だから、総書記には受け入れるという選択肢しかない現実をまず、つくりださなければならない」

13

ヴァレンティン・コヴァレンコは午前五時ちょっとすぎに目を覚ました。そこは、チェコ共和国はプラハのレトニャニ地区北東部にある、温泉施設とヘルスクラブを備えたホテル、ブルー・オレンジの部屋だった。彼はすでに三日間そこに滞在していて、サウナに入ったり、マッサージを受けたり、極上の料理を食べたりしていたが、そうした贅沢《ぜいたく》をしていないときは、今日の夜明け前に決行しなければならない作戦のための準備を勤勉に重ねていた。

命令は、脱獄を手伝ってくれたマフィアの男が言っていたとおり、〈クリプトグラム〉と呼ばれる安全なインスタント・メッセージング・アプリケーションによってもたらされた。サンクト・ペテルブルクのマフィアが用意してくれた隠れ家に到着してまもなく、コヴァレンコは〈クリプトグラム〉がインストールされたコンピューターをあてがわれ、西ヨーロッパで暮らすための書類、金、指示も与えられた。彼は指示されたとおりのことをし、南フランスに居を定め、毎日一回コンピューターを起動してネットに接続させ、さらなる命令を待った。
二週間、何の連絡もなかった。その間、彼は近くの医者のもとを訪れ、モスクワの拘置所で過ごしたときに発症してなかなか治らずにいた病気の治療を受け、薬をもらい、体力を回復した。そして、ある朝、〈クリプトグラム〉をひらき、その日のパスワードを打ちこんで認証手続きをはじめると、認証が終わるや、インスタント・メッセンジャーのウィンドウに一行の文字列があらわれた。
〔おはよう〕
〔あんたはだれ？〕とヴァレンティン・コヴァレンコはタイプした。
〔わたしはきみの運営者《ハンドラー》だ、ミスター・コヴァレンコ〕
〔何て呼べばいい？〕
〔〈センター〉と呼んでくれ〕
コヴァレンコはにやっと口もとをゆがめて文字を打ちこんだ。〔教えてもらえるかな？　そちらはミスター・センター？　ミズ・センター？　それとも人工的につくられたインターネット上の存在？〕
すこし長い間があった。
〔最後のものと言ってよい〕

すぐにまたコヴァレンコのコンピューター画面に文字があらわれた。〔はじめる準備はできているか?〕会話のスピードが速くなった。

ヴァレンティン・コヴァレンコはすぐさま打ち返した。〔自分がだれのために働くのか知りたい〕彼にはもっともな要求と思えた。ただコヴァレンコは、新しい雇い主はふつうの理屈が通じる相手ではないとマフィアから警告されてもいた。

〔現在の状況を心配するきみの気持ちは認識しているが、そのきみの不安を軽減している時間はない〕

ヴァレンティン・コヴァレンコはコンピューターと会話しているような気がしてきた。返ってくる言葉が、よそよそしく、無表情で、論理的なのだ。

《こいつは英語のネイティヴスピーカーだ》とコヴァレンコは思った。いや、早合点は禁物。いくら自分が英語に堪能《たんのう》だからといって、こんな文字による会話だけで相手がネイティヴスピーカーかどうか確実に判定することなどできない。話しているところを聞けば、たぶん自信をもって判断できるだろうが、いまのところはまだ「雇い主は英語を楽々と操れる」と思っておくだけにしよう。そうコヴァレンコは自分に言い聞かせた。

コヴァレンコは尋ねた。〔あんたがコンピューターによる諜報《ちょうほう》活動をするための存

在だとすると、わたしの役目は？〕
答えはすぐさまあらわれた。〔現場の人的資産《ヒューマン・アセット》の運営管理《マネジメント》。きみが得意とするものだ〕
〔わたしを拘置所の外で拾ってくれた男は言った——あんたはどこにでもいる、と。すべてを知ることができ、すべてを見ることができる、と〕
〔それは質問か？〕
〔わたしが指示にしたがうのを拒んだら？〕
〔想像力を働かせろ〕
コヴァレンコは両眉《まゆ》を上げた。それが〈センター〉のユーモアなのか、それとも露骨な脅しでしかないのか、はっきりわからなかった。彼は溜息《ためいき》をついた。南仏に来て、アパルトマンに住み、こうやって指示されたとおりにコンピューターを使っているのだから、おれはもうこの〈センター〉という存在のために働きはじめているのだ。いまさら反抗なんてできるわけがない。
コヴァレンコはタイプした。〔わたしへの指示は？〕
〈センター〉はこの問いに答え、ヴァレンティン・コヴァレンコはプラハで初めての仕事をすることになった。

気管支炎と白癬《はくせん》、それに大麦スープと黴《かび》の生えたパンくらいしか出ない拘置所の食事のせいで悲惨な状態にあった肉体は、現在、回復しつつあった。彼は〈マトロースカヤ・チシナー〉公判前容疑者勾留《こうりゅう》施設に放りこまれる前は健康そのものだったのであり、自己管理する自制心もあったので、大半の者よりも回復が早かった。

ここブルー・オレンジのスポーツジムも役立った。この三日間、コヴァレンコは毎日数時間、ジムでトレーニングに励み、それと早朝のジョギングのおかげで、いまでは体中にエネルギーと活力がみなぎるようになっていた。

コヴァレンコはジョギング用の服――片側にグレーの細いレーシング・ストライプが一本だけ入った黒のトラックスーツ――に着替え、黒のニット帽をかぶって、くすんだ金髪を隠した。そして、刃が黒い折りたたみ式ナイフ、ピッキング用具セット、拳《こぶし》大のフェルト製の袋をジャケットのポケットに滑りこませ、ジッパーを閉めた。

それから、ダークグレーの靴下とブルックスの黒いランニングシューズをはき、手にはアンダーアーマーの薄い手袋をはめ、部屋から出ていった。

彼は一分もしないうちにホテルの外にいて、冷たい小雨のなかを南に向かってジョギングを開始した。

最初の一キロはトゥポレヴォヴァ通り沿いの芝生のなかを走った。まだあたりは暗く、人影ひとつ見なかった。ただ、トゥポレヴォヴァ通りを二台の配達車がゴトゴト音を立てながら通りすぎていった。

交差点で東へ方向を転じてクジヴォクラーツカー通りに入り、ゆったりとしたペースを保って走りつづけた。いつもの早朝のジョギングのときよりも心臓の拍動が荒くなっていることに気づき、コヴァレンコはちょっと驚いた。ロンドン勤務のときは、ほぼ毎朝、ハイド・パークのなかを一〇キロほど走っていたのに、一年でいちばん暑い何カ月かを除いて汗をかくことさえほとんどなかったのだ。

イギリスにいたころの体調にくらべたら、いまはまだ万全ではないとわかっていたが、胸のなかの心臓が暴れているのはそのせいではないのではないか、と彼は疑っていた。

そう、今朝は神経が高ぶっているのだ。現場にもどったせいで。

ヴァレンティン・コヴァレンコは海外諜報を担当するSVR（ロシア対外情報庁）のロンドン副駐在官《レジデント》にまで出世したが、それはイギリスにおけるナンバー2の地位であり、当時はもう、みずから現場仕事におもむくことはめったになくなっていた。ブラッシュ・パス（すれちがいざまの連絡情報の受け渡し）、デッド・ドロップ（受け渡しのための連絡情報の隠し場所）の運営、ブラックバッグ・ジョブ（情報入手のための不法な家宅侵入〉といった現場仕事は、諜報階層の下位にいる者たちの仕事なのだ。そう、だからヴァレンティン・コヴァレンコはスパイマスターとして、ロシア大使館の居心地のよい自分のオフィスから、あるいは高級イギリス料理店『ヘレフォード・ロード』でビーフ・ウェリントンを食べながら、はたまた高級フランス料理店『レ・ドゥー・サロン』のジョスパー炭火焼オーヴンで調理された「雄牛頰肉　クレソン、骨髄添えサルサソース」を賞味しながら、現場要員という駒《こま》を動かす仕事ばかりしていたのである。

《みんな、古き良き時代の話だ》とコヴァレンコは自分に言い聞かせ、胸のなかで暴れる心臓を落ち着かせようと走るスピードをすこし落とした。今日の仕事はたいして危険なものではない。ただ、ロンドン生活を楽しみながらやっていた仕事よりはずっと低級なものになる。

とはいえ、言うまでもないが、ヴァレンティン・コヴァレンコだってロシアのためにつらい下働きをしたことはある。いきなり副駐在官《レジデント》になれる者なんてひとりもいない。そこまで昇進するには出世の階段を一段ずつ上っていく必要がある。彼はヨーロッパのさまざまな任地で、またオーストラリアでも短期間、大使館員といった公式の偽装《カヴァー》で護《まも》られていない非合法工作員《イリーガル》をしていたことがある。もちろん、それはいまよりも一〇歳以上も若いころのこと。シドニーで現場仕事をしていたのは、わずか二四歳のときのことだ。そして、まだ三〇歳にもならない若さで現場を離れ、もっぱらデスクワークをするようになった。だが、その新しい仕事のほうが楽しめた。

コヴァレンコはベラノヴィーフ通りに入って南へ向かい、前日と前々日の朝にも走ったルートをたどった。ただ、今朝は、ほんの数分のあいだだけだが、そのルートからはずれることになる。

雨脚がすこし強まり、びしょ濡《ぬ》れになってきたが、暗闇《くらやみ》に加えて本格的な雨というおおいも得たわけで、むしろ都合がよかった。

コヴァレンコはにやりと笑った。スパイは暗闇が大好き。そして雨も大好き。

気分はよかった。今回の任務は問題なく遂行できる。ただ、つまらない奇妙な作戦だと思わずにはいられなかった。おれを運営管理する者たちが最終的に何を達成したがっているのか知らないが、それに成功する確率はかなり低い、とコヴァレンコは思った。

ベラノヴィーフ通りに入って数十メートルだけ走ったところで、彼は左右に目をやり、次いで肩越しにうしろのようすもうかがった。通りに人影も車もまったくない。素早くサッと左へ移動した。白い水漆喰の塀にあいた小さな鉄製のゲートのそばにひざまずき、ピッキング用具で手際《てぎわ》よく単純な錠をこじあけた。それは住宅のゲートで、錠をあけるのは造作もないことだったが、ずいぶん長いあいだ自分のピッキング術を試す機会がなかったので、作業を終えて用具をジャケットのポケットにもどしたとき、思わず笑みがこぼれた。

数秒後には二階建ての家の前庭にいて、まだ暗い朝のなかを全身黒ずくめで家の右側に向かって走っていた。木のゲートを通り抜けて前庭から裏庭へ入りこみ、今年は使われていない組み立て式プールのわきを走り、鉢植え用の小屋と物置のあいだの通路を突き進み、住宅の東の境界線にそって立つ裏の塀に達した。数秒のうちにヴァレンティン・コヴァレンコはその塀を乗り越え、反対側の濡れた芝地に跳び下りた。そこは予想していたとおりの場所だった。グーグル・マップによる事前調査が役立ったのだ。

彼はいまやVZLÚ科学技術パークの内部にいた。つまり、もはや塀を越えなくてもいいし、敷地の外を照らす防犯灯の光や警備小屋を恐れる必要もない。

コヴァレンコの新たな運営管理者――安全なインスタント・メッセージング・アプリケーションを使って連絡してくる英語を巧みに操る〈センター〉と名乗る者――は、今日の任務の目的も話してくれなかったし、ターゲットに関する情報さえたいして教えてくれなかった。教えてくれたのは、ターゲットの所番地と、そこでいつ何をするかという具体的な任務内容くらいのものだった。だからコヴァレンコはターゲットについて自分で調査し、VZLÚが航空宇宙研究テスト機関で、そこで重点的に取り組まれているのは航空力学、航空エンジン、ヘリコプターの回転翼《ローター》の研究とテストであることを知った。

VZLÚ科学技術パークの広大な敷地のなかには多くの建物とさまざまな実験施設が散らばっていた。

謎《なぞ》の雇い主がここでしたがっていることが何であろうと、その最終目的を達成するのはヴァレンティン・コヴァレンコの役目ではなかった。彼はただ、物理的なセキュリティを突破して、あるものを置いてくるよう命じられたにすぎない。

暗闇と雨にまぎれて、行きあたった最初の小さな駐車場にひざまずくと、コヴァレンコはジャケットのポケットからフェルト製の袋をとりだした。そして、その袋から艶消《マット》しグレーのUSBメモリを一個つまみだし、不本意ながら、ただそのまま駐車スペースのひとつに置いた。メモリには「テスト結果」と書かれたラベルが貼《は》られていたが、周到にも彼はそれを下に向けて置いた。

コヴァレンコも馬鹿《ばか》ではない。こういうところは抜かりがないのだ。そのUSBメモリにテスト結果など入っているわけがない、と彼は確信していた。たとえテスト結果が入っていたとしても、本物ではない。そのUSBメモリに入っているのはコンピューター・ウイルスだろう、とコヴァレンコは思っていた。雇い主の腕がよければ、ウイルスは上手に偽装されていて、メモリがここのネットワークと接続されたどのコンピューターのUSBポートに差しこまれても、すぐに感染がはじまるようになっているはずだ。だれかが落ちているUSBメモリを見つけ、なかに入っているファイルを確認しようと、そのメモリをコンピューターのポートに差しこむ、ということを狙《ねら》った作戦であることは疑いようがなかった。USBメモリ中のどのファイルがひらかれても、コンピューターは即座にウイルスの一種に感染し、結局ネットワークそのものも感染してしまう、というわけだ。

ヴァレンティン・コヴァレンコは構内の各建物の外にひとつずつUSBメモリを置いてくるよう指示されていた。いくつも置くよりひとつだけのほうが成功の確率は高いからである。もしも五、六人の技術者が、同じように駐車場で謎めいたUSBメモリを見つけ、同じ建物に入っていったら、拾った者同士が鉢合わせして〝おまえもか〟ということになりかねず、そうなったら〝危険だ、警戒せよ〟の赤旗がただちに上がることになる。いや、そんなことにならなくても、そもそも拾った者の大半は疑念をいだくのではないだろうか。しかし、コヴァレンコもみずからVZLÚを調査して知ったように、そこのネットワークはさまざまな部門をいっしょに結び合わせたものなので、数あるコンピューターのうちのたった一台を感染させればよいのである。それがどの部門のどのコンピューターでも、そのたったひとつの感染によって、ネットワーク全体がウイルスの支配下に入ってしまう。

　というわけで、今回の場合、ヴァレンティン・コヴァレンコ自身が、ちょうどフィッシング・メールのような攻撃手段《アタック・ヴェクター》になっているのである。なかなか巧みな方法だと、コヴァレンコも認めていた。だが、計画の詳細は知らされないというのでは、任務が成功したのかどうか確かめようがない。このチェコの科学技術機関のIT部門が、同じか同様のUSBメモリが同時に二〇個ほども構内で見つかったということに気づいたら、いったいどうなるのか、とコヴァレンコは思った。当然、彼らも、各コンピューターを攻撃経路としたハッキングが試みられているのではないかと疑うから、ネットワークを閉鎖してウイルスを探しはじめるのではないか。コヴァレンコはサイバースパイについてはたいした知識もなかったが、VZLÚのIT部門がウイルス探しをはじめても検出・除去できず、結局はネットワークのセキュリティが侵害されて重大な情報漏洩《ろうえい》が起こってしまう、という筋書きになるとはどうしても思えなかった。

だが、これもまた仕方のないこと。だって、〈センター〉はこのおれを作戦立案に参加させる気にならなかったのだからな、とコヴァレンコは思った。これはいささか無礼な話ではないか、やはり。おれはいま産業スパイ組織のために働いているのだ。それは間違いないと思う。〈センター〉とかいう野郎とその子分どもはおれが高位の諜報機関員だったことを知っているはずじゃないか。おれが世界でも最高の諜報機関のひとつSVRで高い評価を得て、きわめて重要な仕事を任せられていたことを、やつらは知っているはずだ。

コヴァレンコは敷地内にある小さな芝地の飛行場のそばの駐車場に達すると、四《よ》つん這《ば》いになって小型トラックのあいだを進み、濡れたコンクリートの上にもうひとつUSBメモリを落とした。そうするあいだも怒りが込み上げてきて、このおれさまに使い走りをさせるなんて、あの産業スパイ野郎どもはいったい何様のつもりなんだ、と思わずにはいられなかった。

だが、これでも拘置所暮らしよりはましだし、危険もたいしてなく、報酬もいい。その点はコヴァレンコも認めざるをえなかった。

14

国家主席にして共産党総書記の韋真林《ウェイヂェンリン》と蘇克強《スーコーチアン》中央軍事委員会主席の二回目の密談は、北京中心部にある共産党中枢《ちゅうすう》地区、中南海《ヂョンナンハイ》でおこなわれた。韋《ウェイ》も蘇《スー》もそこに執務室があったし、韋の場合はそこにある公邸で暮らしてもいた。そういうわけで二人の密談は夜に韋の寝室のすぐそばの書斎でおこなわれることになった。

韋の秘書も、蘇の副官の役目もこなす〝右腕〟の夏《シア》少将も同席し、一週間前に北戴河《ベイダイホー》のビーチ・リゾートでおこなわれた密談とほとんど同じ形になった。ただ、この夜の話し合いには、前回とはちがう大きな点がひとつあった。それは、今回提案し説明するのは蘇将軍のほうであるという点だった。

従僕が韋と蘇に茶を淹《い》れてだし、二人の従者には何もださずに部屋から出ていった。

韋総書記は、香港および台湾の併合という最終目的を達成するための最初のステップとして、南シナ海への本格的な戦力投射作戦《パワー・プロジェクション》を立案するよう蘇中央軍事委員会主席にうながし、軍情報部と検討するための期間として一週間を与えた。蘇はこの一週間、そのことばかり考えて、ほとんど眠らず、ほとんど食べなかったにちがいない、と韋は思っていた。

だが、実のところ蘇は、一週間どころか、この一〇年以上ものあいだ、南シナ海へ兵士、艦船、航空機を送りこむことを考えつづけてきたのである。

蘇主席が韋総書記とともに椅子《いす》に腰を下ろしたときにはすでに、主席の手には報告書がにぎられていた。蘇の〝右腕〟の夏もその写しを持っていたので、韋は自分もその写しを渡され、それを見ながら議論できるのだろうと思っていた。

だが、蘇は報告書を韋に渡しもしないで言った。「同志《トンヂー》、きみが最近、権力の座から引きずり下ろされそうになったのは、まわりの者たちに真実を語ったからだ。その真実は聞きたくなるようなものではなく、彼らは耳をかたむけようとしなかった」

韋はうなずいた。

「わたしはいま、そのときのきみとちょうど同じような状況にある。きみは何世代ものあいだ失われていた力と栄光をわが国にとりもどさせる五カ年計画を立て、提示した。ところが、わが国の現在の軍事的状況にはいくつか問題点があって、不本意ながら、その五カ年計画の実行は不可能ではないにしても難しいと言わざるをえず、それについていまからきみに説明しなければならない」

韋は驚いて首をかしげた。「わたしが追い求める目標は、軍事力のみによって達成できるものではない。地域の支配を実現するために軍事力の支援も必要になるというだけだ。われわれは年次報告書を読んで、わが軍はそうとう強いと思ってきたが、実際にはそうではないのかね？」

蘇は韋の言葉を払おうとするかのように手を勢いよく振った。「わが軍は強大だ。史上最強の状態にある、全体的に見て。この二〇年間、軍事費が年間二〇％ずつ増えつづけたおかげで、陸、海、空、宇宙《スペース》の戦力はいちじるしく増大した」

と言ったあと、蘇は溜息《ためいき》をついた。

「では、きみは何を心配しているのかね、教えてくれ」

「わが軍はいま現在、現時点では、最強の状態にあるが、敵との比較ということになるとすぐにでも弱体化しはじめる」

韋は将軍の言葉が理解できなかった。彼は軍事方面には疎《うと》かった。「なぜ弱体化するのかね？」

蘇はしばらく何も言わずに黙っていた。その問いには直接、即答できないということを総書記にわからせるためだった。背景を含めた説明が必要だったのである。「その気なら、明朝にも戦闘部隊を動かし、地域の敵をすべて排除することもできる。だが、そんなことはする必要がない。われわれが戦闘準備をしなければならない敵は一国、一国のみだ。その敵を無力化できさえすれば、その他の国々とのあいだに起こりうる紛争など、戦う前から勝ったようなものになる」

韋は言った。「わが国の南海《ナンハイ》急襲にアメリカが干渉すると、きみは考えているのか？」南海は南シナ海の中国名。

「そう、アメリカは間違いなくそうする、同志《トンヂー》」

「で、わが軍の戦闘能力は――」

「きみには事実をつつみ隠さず言おう。中国軍の通常兵器による戦闘能力は、おしなべて、アメリカ軍が有するそれに遠くおよばない。ほとんどすべての点――たとえば兵器の数、装備の質、訓練といったこと――で、アメリカのほうが勝っている。艦船、航空機、戦車、トラックから寝袋にいたるまで、それこそ一隻《せき》、一機の例外もなく、アメリカの装備のほうが中国のそれよりも優れている。それにこの一〇年ほど、アメリカ軍は実戦を経験しつづけてきたのに、わが軍は訓練しかしてこなかった」

韋の表情が険しくなった。「つまり、この二〇年にわたる近代化のあいだ、わが軍はほとんど国の役に立たなかったということかな」

そこまではっきり言われても蘇は怒らなかった。それどころか、うなずいた。

「そういう事実もあるが、その裏に良いこともある。わが軍は戦略的近代化では多くの点で成功した。

あるひとつの戦闘領域では、われわれはいま圧倒的に有利な状態にある。つまり、どのような敵との、どのような戦闘でも、わが軍は間違いなく完璧《かんぺき》な情報支配を確立することができる。

きみやわたしの父親も入隊した毛沢東《マオツォートン》主席の軍隊を凌駕《りょうが》する戦闘集団がついに生まれたのだ。それは機械化C4ISR部隊と言ってよい。C4ISRというのは、戦場での作戦遂行活動を円滑に進めるための情報収集・処理・伝達システムのことで、C4というのはコマンド、コントロール、コミュニケーション、コンピューター、すなわち指揮、統制、通信、コンピューターのことであり、ISRはインテリジェンス、サヴェイランス、リコネサンス、すなわち情報収集分析、監視、偵察のことだ。わが機械化C4ISR部隊は、資金は潤沢、設備も充分にととのい、連絡も緊密にとれ、しっかり組織化されている。そして、いつでも即時に攻撃ができるよう準備をととのえている」

「攻撃？　サイバー攻撃ということかね？」

「むろん、わが部隊はサイバー戦やサイバースパイも得意だ。だが、それだけではない。システム間、部隊間の通信の効果を最大限に生かすこともできる。戦場を完全に情報化して、その情報をうまく共有し、利用できるのだ。こうした点では、われわれはアメリカに大きく水をあけている」

韋は言った。「では、きみが最初に言った悪いことのほうの話も聞かせてもらおうか。いまの話は良いことのほうだろう」

「それはだね、総書記、きみがわが配下の軍の支援を求めてやりたいと思っていることのタイムテーブルというかスケジュールが、非現実的だということなんだ」

「しかし、次の党大会が開催されるまでに、つまり五年以内にそれを完了しないといけない。それよりも少しでも長くかかったら、われわれの指導力は弱まり、もはや成功を確信することはできなくなって――」

「そういうことではない」中央軍事委員会主席は言った。「わたしが言いたいのは、その逆で、われわれの目的を達成するのに一年以上かけては絶対にだめ、ということ。だから要するに、わが軍が新たに獲得したその能力こそ、アメリカ軍に対する真の戦術的優位をもたらしてくれる唯一《ゆいいつ》のものなんだ。しかもそれは驚嘆すべき圧倒的優位だ。だが、それもすぐに弱体化しはじめる。アメリカはいまサイバー防衛体制強化を急いでいる。あの国とその軍隊は、逆境にあると機敏に弱点を修正して状況に適応する。アメリカのネットワーク防衛は、現時点ではまだ大半が〝攻撃されてから対処する〟というリアクティヴなものにとどまっている。だが、コンピューター・ネットワーク空間を専門とするアメリカの統合部隊、サイバー軍《コマンド》は、サイバー防衛を〝危険を予測して事前対策を講じる〟というプロアクティヴなものに急速に変えつつある。彼らは未来の戦争の様相をそうやって変えようとしている。ライアン大統領はサイバー軍《コマンド》を強力な部隊にしようと、資金、装備、人員など、必要となるあらゆるものを増強しているから、われわれの戦略的優位にもそのうち影響が出るはずだ」

これで韋にも理解できた。「つまり、その優位をいま利用しなければならないというわけだね？」

「開いた窓もじきに閉じてしまう。そして、閉じたら最後もう開かないと思う。もう絶対にね。アメリカはわれわれに追いつく。すでにアメリカの議会では、国内のＩＴインフラを最新化する法案が審議されている。ライアン政権は事態を重く見て、本気になっている。われわれの……いや……きみの海洋覇権・領土拡大計画をぐずぐずやっていたのでは、われわれはどんどん不利な立場に追いやられていくだけだ」

「すると、きみはただちにはじめたいのだな」

「いや、ただちにはじめなければならない。われわれは南海の領有が中国の核心的利益であると再度、明確に主張し、南海の支配権を強く要求しなければならない。数週間ではなく、数日のうちに、マラッカ海峡までのパトロールを強化し、南沙《ナンシャー》諸島と黄岩《ファンイエン》島への海軍艦船および海兵隊部隊の移動を開始させなければならない」南沙諸島はスプラトリー諸島とも呼ばれる。黄岩島はスカボロー礁《しょう》の中国名。「一週間以内にそこの無人島のいくつかに兵を上陸させることもできる。そういうことはみな、この報告書のなかに書いてある。そしてそこまでやってから、香港との関係を改めることを宣言し、台湾の封鎖をはじめる。どちらも六カ月以内にやる。一年後には、わが国の積極果敢な攻めの姿勢がだれの目にも明らかになり、われわれはすべての目標を達成できているはずだ。アメリカは負った傷を癒《いや》すのに精一杯で、われわれの行動を阻止する余力などない」

韋はしばし考えこんだ。「戦略上脅威となる国はアメリカだけ？」

「そう。とくにジャック・ライアンがホワイトハウスにいるアメリカ。先のロシアとの戦争のときと同様、今回もまた、あの男が問題になる。ライアンの指揮下にあるアメリカ軍がむろん直接的な脅威だが、それだけではない。われわれは隣国どもの空威張りにも煩《わずら》わされる。隣国の連中は『ライアンが大統領のあいだは、中国はアメリカのどの同盟国にもいっさい手出しできない』とみずからに言い聞かせているからね」

韋は言った。「あの戦争でライアンが中国を完膚なきまでに打ち負かしたからだ」

これには蘇は反論した。「ライアンがわれわれを打ち負かしたというのはどうかな。中国はロシアとも戦ったわけだから。まさか忘れたわけではないだろう？」

韋は片手を上げてあやまる仕種《しぐさ》をした。「そうそう、たしかに。でも、わが国が攻撃したのはロシアだったということも覚えている」

蘇は声に力をこめた。「われわれはアメリカを攻撃しなかった。それなのに、また、あれから七年もたっているというのに、アメリカはいまだに海軍に東海《トンハイ》を定期的にパトロールさせ、わが国の領海のすぐそばを航行させている」東海は東シナ海の中国名。「しかも、つい最近も、新たに九〇億ドル相当の武器を台湾に売った。やつらは東海と南海にはいつでも干渉できるというところを見せて、われわれを脅しているのだ。いまさらきみに言うまでもないが、わが国を動かすのに必要な石油の八〇％はマラッカ海峡を通過してやってくる。アメリカには空母打撃群を投入してその石油の流れをとめると脅すことも可能だ。だから、きみの計画を成功させるためには、やつらに先制攻撃を加えなければならない」

韋は軍事方面には詳しくなかったが、これくらいのことはどんな中央政治局委員でも承知していることだった。

「しかし、もしわれわれから攻撃を仕掛けたら、ライアンは――」

蘇は韋の言葉をさえぎって言った。「同志《トンヂー》、われわれはライアンに中国がやっていると気取られないようにして先制攻撃を仕掛ける。われわれなら、攻撃者が中国だとわからないようにして攻撃できる」

韋は茶をひとくち飲んだ。「サイバー攻撃のようなもの？」

「国家主席閣下、国家元首の知らない秘密作戦というものもあるのです」

韋は茶杯《チャーベイ》を口のそばに掲げたまま細い片眉《まゆ》を上げた。「願わくは、わたしの知らない秘密作戦がたくさんあらんことを」

蘇中央軍事委員会主席はにやりと笑った。「そういうこと。ともかく、その作戦はとりわけ、きみの目標を実現するのに欠かせない極めて重要なものになる。わたしがひとつ命令を出すだけで、配下の者たちが、初めはゆっくりと、われわれが仕掛けているとはっきりわからないように細心の注意を払いつつ、わが国を打ち負かすアメリカの戦闘能力を削《そ》ぐ作戦を開始する。われわれは同じ秘密攻撃を他の敵どもにも加えるつもりだ。そうすれば、他の敵国も国内の混乱を収拾することを最優先し、持てる力のすべてをそれに投入せざるをえなくなり、中国の企てなどに構っていられなくなり、われわれは南海および東海での所期の目的を達成することができる」

韋は言った。「ずいぶん自信たっぷりな話しかただね、蘇主席」

蘇は韋の心のなかを推し測ってから言った。「わけなくやり遂げられると言っているわけではない。われわれが敵に与えられる損害は、多数の小さな切り傷だ。アメリカのような巨人にとってはほんの引っかき傷だろう。だが、引っかき傷でも血はでる。それだけは間違いない。で、巨人も弱る」

「しかも、弱らせているのはわれわれだとは気づかない？」

「攻撃するのは〝透明軍〟だからね。アメリカは人民解放軍に膝《ひざ》を打たれて傷ついたのだとは気づかない」

「そんなにうまくいくのだろうか？」

蘇はゆっくりうなずいた。「そりゃ失敗もいくつかあるだろう。戦術レベルの失敗はね。何の問題もなく勝てる戦いなんてない。だが、戦略的にはわれわれは成功し、目的を達成できる。その点については自分の名誉をかける」

韋は座ったままスッと背筋を伸ばした。「きみは全軍の指導者、中央軍事委員会主席なんだからな、同志《トンチー》、そうせざるをえない」

蘇は口もとに笑みを浮かべた。「わかっている。攻撃のための基盤はできあがり、準備万端ととのっている。まだわれわれが優位にあるうちにそれを有効に利用しないといけない。ぜひともそうする必要がある。いまならわれわれの戦闘能力は絶大だ」

韋はびっくりした。蘇がいまこの場で攻撃の口火を切る許可を求めていることがはっきりしたからだ。韋はためらった。「同じことを言った指導者たちがいた。ロシア侵攻をはじめる直前に」

蘇中央軍事委員会主席は重々しくうなずいた。「たしかに。そう言われれば言葉の返しようがないが、ただ、これだけはきみにもわかってもらいたい——それは、当時と現在では大きなちがいがひとつあるということだ」

「で、そのちがいは？」

「七年前、わが国の指導者たちはジャック・ライアンを見くびったということ」

韋は上体をぐっと椅子の背にあずけ、数秒のあいだ天井をじっと見つめた。そして含み笑いを洩《も》らした。明るい楽しそうな笑いではなかった。「その過ちは絶対に繰り返せない」

「そう。だから絶対に繰り返さない。きみが攻撃の口火を切ることを認めてくれるのなら、もうひとつきみにやってもらいたいことがある。わたしは何年も前から、わが国の核心的利益を護《まも》るためには南海での行動が必要だと、折りにふれて話してきた。わたしのこれまでの言動でも、いちばん知られているのは『中国に領有権がある土地・海域を奪い返したい』というもので、わたしはそういう男ということになっている。共産党総書記で国家主席であるきみの声明発表もなく軍が動きだしたら、わたしがきみの承諾も得ずに勝手に部隊を動かしたと欧米諸国に思われかねない」

蘇将軍は身を乗り出し、親しげに懇願する口調で言った。「きみにはあくまでも主役でいてほしい。きみは中国の立場を大声ではっきりと表明するべきだとわたしは思う。きみは自分の意思で軍を指揮していることを世界に示すべきだ」

韋は言った。「わかった。では、中国は南海における核心的利益を護ると、世界にはっきりと表明しよう」

これには蘇も満足し、笑みを浮かべた。「よし、念のため確認しておく。きみはわたしが軍を動かして攻撃の口火を切ることを許可するのだね？」

「そう、そういうこと。きみがベストだと思うことをしてくれ。最初の準備活動を開始するということについては賛成だ。だが、いまここできみに言っておきたいことがある。それはだね、中央軍事委員会主席、そのきみの秘密作戦が明るみに出て、われわれの計画の実現が危うくなったら、そのときはきみの攻撃作戦をただちに中止するよう求めざるをえなくなる、ということだ」

蘇はそうした中途半端《はんぱ》な許可しか得られないということを完全に予測していた。

「ありがとう。たとえあとで敵との交戦がはじまったとしても、これからわれわれが開始する攻撃によって敵の戦闘力は弱まるから問題ない。心配なんてしなくていい。今夜のきみの決定で、われわれの計画の実行はずいぶんと楽になる」

韋真林は黙ってうなずいた。

韋はいま自分が何を許可したのかさっぱりわかっていないにちがいない。そう思いながら蘇は韋の書斎から出ていった。

蘇《スー》中央軍事委員会主席が自分の執務室にもどったのは二〇分後のことだった。彼は副官の夏《シア》少将にみずから電話をして相手を呼び出すように命じておいたので、夏がドア口から顔だけ覗《のぞ》かせて「呼び出しました」と言ったとき、大柄の中央軍事委員会主席はぶっきらぼうにうなずき、指先をちょっとだけ振り、下がってドアを閉めるよう副官に仕種で指示した。

ドアが閉まると、蘇は受話器をとって耳にあてた。「こんばんは、博士」

「こんばんは、主席同志」

「今夜は重要な知らせがある。この電話をもって〈地球陰影《ディーチウインイン》〉作戦開始を許可する指令を出すことを認める」

「わかりました」

「いつはじめられる？」

「物理的〝資産〟は、主席の依頼どおり、すでに準備をととのえて配置についていますので、行動をただちに起こすことができます。それは一週間で、かかっても二週間のうちに完了できます。そして完了次第、今度はサイバーキネティック作戦にとりかかることになります。それが開始されますと、事態の進行はきわめて急速なものになります」

「わかった。で、〈太陽火《タイヤンフオ》〉作戦のほうの準備状態は？」

間髪を容《い》れず答えが返ってきた。「現在、深圳《シェンチェン》から輸送中のハードウェアの荷がとどき、その接続がすみ次第、準備は完全にととのいます。一〇日で準備完了となるはずです。主席の作戦開始命令が出るのを楽しみにしております」

「わたしも楽しみにしている」

「主席同志」

「何だね、博士？」

「最後にもういちど確認しておくべきだと思うので言っておきますが、〈地球陰影《ディーチウインイン》〉作戦の重要な特徴は、いったん開始してしまうと、もはやわたしにも取り消せないという点です」

蘇克強《スーコーチアン》中央軍事委員会主席は電話の相手に微笑《ほほえ》みかけるかのように口もとに笑みを浮かべた。「博士……わたしにとってはむしろ、〈地球陰影《ディーチウインイン》〉作戦を開始したらもう後戻りはできないというほうが都合がいいんだ。文民の国家主席は最初のドミノ牌《パイ》を倒すことを許可したが、それはその気になったら第二、第三の牌が倒れる前にドミノ倒しを中止できると思いこんでいるからだ。いまのところ――つまり困難なことなど何ひとつ生じていないいまは――国家主席の意志は固い。困難に直面して彼の意志が揺らいだら、前進する道しかないことを、わたしが彼にわからせる」

「はい、主席同志」

「では、命じたとおり実行してくれ、博士。次にきみに連絡するのは、〈太陽火《タイヤンフォ》〉作戦開始を許可するときだ。それまでは連絡しないからそのつもりで」

「わたしのほうは適切なチャンネルを通じて報告しつづけます」

「幸運を祈る」蘇は言った。

「謝謝《シェシェ》」

蘇中央軍事委員会主席がにぎる受話器の接続が切れた。彼は笑いを洩らしながら受話器をしばし見つめ、それから架台にもどした。

〈センター〉は無駄な世間話をするような男ではない。

15

シリコンヴァレーは、インテル、アップル、グーグル、オラクルをはじめ何十社もの大手先端技術企業が本拠をおく地域の俗称である。そしてそうした大企業を支える中小企業が、この二〇年のあいだに、数百社も——数千社とまではいかないが——同地域に出現した。

パロアルトのすぐ北に位置するカリフォルニア州メンローパークも、そのシリコンヴァレーのなかにあり、市内のオフィスビルやビジネスパークには何百ものハイテク新興企業が入っている。

メンローパークのレイヴンズウッド通り《アヴェニュー》といえば、SRIインターナショナルの所在地だが、その世界最大の科学技術研究開発機関から通りをすこしだけ進んだところに、中規模のビジネスパークがあって、そこの一角にある建物のガラスのドアにAdaptive Data Security Consultants（アダプティヴ・データ・セキュリティ・コンサルタンツ）と書いてあった。そしてその社名の下には、同じビジネスパークに入る他のハイテク新興小企業の営業時間とまったく変わらない日中の時間が記されていた。だが、午前四時にゴルフカートに乗ってその建物のそばを通りすぎた夜勤の警備員は、六時間前に夜回りをはじめたときからずっと駐車場にとまりっぱなしになっている数台の車を見ても驚かなかった。

ＡＤＳＣ（アダプティヴ・データ・セキュリティ・コンサルタンツ）社の共同経営者であるランス・ボールダーとケン・ファーマーは、長時間勤務には慣れっこになっていた。それは二人がやっている分野の仕事にはつきものだった。

ランスとケンはサンフランシスコ育ちで、家が隣同士の幼馴染《おさななじみ》だった。そして二人とも、インターネット草創期にコンピューターに溺《おぼ》れて暮らした。彼らは一二歳のときにはコンピューターを組み立て、ソフトウェアをカスタマイズしていたし、一五歳ですでに二人とも熟達したハッカーになっていた。

頭のいい一〇代の少年たちのあいだでハッキングがひそかに流行《はや》り、ランスとケンもそのサブカルチャーに強く影響され、共同でハッカー行為をはじめ、自分たちが通う中学校や地元の大学のコンピューター・ネットワークに侵入し、世界中のシステムをもターゲットにするようになった。ただ、大きな危害を加えることはなく、クレジットカード詐欺《さぎ》や個人情報泥棒に手を染めることも、盗んだデータを売ることもなかった。単に興奮と挑戦を求めてゲームをしている感覚だった。

二人がやった悪さといえば、自分たちの高校のウェブサイトのホームページに数回加えた〝落書き攻撃〟だけで、実にたわいがない。

だが、地元の警察はそうは思わなかった。当時まだ少年だった二人とも、〝ホームページ落書き〟の容疑で連行されてしまったのだ。発覚したのは、二人が通う中学校のコンピューター教師がハッカーを追跡して身元をつきとめたからで、ランスとケンは即座に罪を認めた。

罰として社会奉仕活動を数週間やらされたあと、二人は大人になる前に軌道修正することに決めた。といっても、軽微なものとはいえ犯罪歴はいつまでも経歴に残り、ふつうのことをしていたのではそれが将来の人生に深刻な影響をおよぼしかねない。

そこで二人は、コンピューターに関する自分たちの才能とエネルギーを棄《す》てるのではなく、正しい方向に向けなおすことに力をそそいだ。そしてカルテック（カリフォルニア工科大学）への入学を許され、コンピューター・サイエンスの学士号を取得し、シリコンヴァレーのコンピューター・ソフトウェア会社に職を得た。

こうして二人はモデル市民となった。だが、心はまだハッカーのままだった。そこで二〇代後半で早くも会社を去り、起業した。コンピューター・ネットワーキングの世界では「倫理的《エシカル》ハッキング」とも呼ばれる「ペンテスティング」すなわちペネトレーション・テスティング（侵入テスト）を専門におこなう会社をはじめたのだ。

要するに、銀行、小売店チェーン、製造企業などのIT部門に雇われ、それらのネットワークへの侵入とウェブサイトのハッキングを試みる、というのが二人の仕事になったのである。

そして彼らはすぐに、契約した会社のシステムへのハッキング成功率一〇〇％を誇るようになる。

二人はシリコンヴァレーでも最高クラスのホワイトハット・ハッカー（善玉ハッカー）との名声を得て、マカフィー、シマンテックといった大手ウイルス対策会社から何度も吸収合併の誘いを受けたが、ことごとく断った。二人の若者は自分たちの会社を絶大な影響力を誇る企業にまで育てあげようと心に決めていたのである。

名声とともに事業も拡大し、二人はまもなく政府の仕事を請け負う企業のネットワークへの侵入テストもやるようになり、極秘情報をもあつかう軍需企業が運営する、どんな攻撃をも撥《は》ね返すという、いわゆる〝防弾システム〟への侵入も試みるようになって、ブラックハット・ハッカー（悪玉ハッカー）もまだ見つけていない侵入方法を探した。ランス・ボールダー、ケン・ファーマー、それに二〇人ほどの社員はみな、その職務をこなす卓越した手腕を有していて、そうやって政府関連企業の仕事を新たにたくさん抱えることになったいま、彼らの侵入テスト専門会社ADSC社は、さらなる発展を約束されたと言ってよかった。

二人の共同経営者はこの五年のあいだに大出世をとげたわけだが、ランスとケンはいまでも長時間労働のこつを心得ていて、一日二〇時間働くことができる。仕事によっては、そうする必要が生じることがあるのだ。

今夜のように。

というわけで、今夜はランス、ケン、および社員三人が残業していた。それというのも、サーヴァー用OS(オペレーティング・システム)であるウィンドウズ・サーヴァーのコンポーネントのひとつにセキュリティ上の弱点——ハッカー側から見れば〝うまい抜け道〟——が新たに見つかったからだ。それを放置すれば、安全ということになっている政府関連のあらゆるネットワークが壊滅的な打撃を受けかねないのである。そしてその弱点は、ADSC社があるメンローパークからも近いカリフォルニア州サニーヴェールに本拠をおく軍需企業のネットワークへの侵入テスト中に明らかになったものだった。

ランスとケンは、ウィンドウズ・サーヴァー中のそのソフトウェアがもつ脆弱《ぜいじゃく》性を発見すると、それにつけいる〈トロイの木馬〉を自らつくりあげ、正規の処理プロセスにしがみついて悪さをするそのマルウェアを使って、安全と言われていた軍需企業のネットワークに潜りこんだ。すると、驚くべきことがわかり、二人はびっくり仰天した。その軍需企業のネットワークから接続経路をたどって、厳重なセキュリティ管理のもとにあるアメリカ国防総省のネットワークに侵入する〝アップストリーム攻撃〟が可能になり、鉄壁のセキュリティを誇る世界一安全なアメリカ軍の情報データベースの深奥《しんおう》部にまで入りこめてしまったのだ。

ＡＤＳＣ社のだれもが、それがどういうことを意味するのかわかった。マイクロソフトがパッチでそのセキュリティホールをふさぐ前に、アメリカを敵とみなす頭のいいブラックハット・ハッカーがそれを発見したら、そいつはその弱点を利用するマルウェアを作成して、戦争行為に必要な何テラバイトにもなる最重要データを盗むことも改竄《かいざん》することも消し去ることもできるようになる、ということだ。

だが、ランス・ボールダーとケン・ファーマーはまだ、侵入テストの契約をしたクライアント企業にも、国防総省にも、マイクロソフトのデジタル犯罪対策部《クライムズ・ユニット》の同業者たちにも、このことを伝えて注意をうながすということをしていなかった。そうする前に、確かにそうなのだと、発見したことをしっかり確認しておかなければならないとわかっていたからだ。だから、今夜、夜を徹してテストしていたのである。

そして、このきわめて重要な確認作業は、ある重大な障害が生じなければ、午前四時をまわったいまも、勢いよく全速力で進行しつづけるはずだった。

突然、何の前触れもなく、ビジネスパーク全体の電源が落ちた。

「何だよ……まいったな」ランス・ボールダーが声をあげ、暗くなったオフィスのなかを見まわした。そこで働いていた五人の男の前にあるモニター画面が発する光だけが、部屋を照らす明かりとなった。コンピューターはまだ動いている。停電時には、各コンピューターにつながれたバックアップ・バッテリーが電気を供給し、データ消失をふせぐ仕組みになっているのだ。だが、そのバッテリーも一時間ほどしかコンピューターを動かすことはできない。だから、停電がすぐに復旧しなければ、いったんコンピューターの電源を切らなければならなくなる。

ＡＤＳＣ社の主任データフロー・アナリストのひとりであるマーカスが、タバコの箱をつかみ、自分の机の引出しからライターをとりだし、立ち上がった。両腕を上げて伸びをしながら言った。「だれだ、ＰＧ＆Ｅへの支払いを忘れたやつは？」

ＰＧ＆Ｅ——パシフィック・ガス・アンド・エレクトリック——はカリフォルニア

州北部地域へ天然ガスと電力を供給する会社だが、むろん五人のうちのだれも、停電の原因が料金の支払い忘れだなんて一瞬も思いはしなかった。ＡＤＳＣ社のオフィスにはワークステーション（業務用高性能コンピューター）が二〇台以上あり、地下のサーヴァー・ファームには大容量のサーヴァーが数台、ほかに社内にはコンピューターとサーヴァーの周辺機器が何十台もあって、そうしたものすべてが同じ配電盤から電気を供給されていた。

ブレーカーが落ちて今夜のように突然電気が消えたことは前にもあった。

ケン・ファーマーが立ち上がり、生ぬるい缶入りペプシをごくごく飲んだ。「ちょいと小便しにいってくる。そのあと下におりてブレーカーを上げるとするか」

ランス・ボールダーが言った。「そうだな、おれも調べにいってくる」

データフロー・アナリストのティムとラジェッシュはコンピューターの前に座ったままだったが、頭を両手で支えて休息の姿勢をとった。

コンピューター・ハッカーを見つけ、追い詰めることを業務とする会社にとって、一分の隙《すき》もないセキュリティ・システムに完璧《かんぺき》に護《まも》られた、回復力に富む、強力なコンピューター・ネットワークは不可欠なもので、ＡＤＳＣ社も必要なツールやプロトコルをしっかり備え、社のネットワークをターゲットにするどんなサイバー攻撃をも確実に撥ねのけられるようにしていた。

ランス・ボールダーとケン・ファーマーは、ADSC社のネットワークをどんな〝サイバー弾〟をも撥ね返す〝防弾システム〟にすることに努力専心してきた。

だが、仕事場を物理的に護る警備のほうにはそれほどの注意を払ってこなかった。

そのころ、暗闇《くらやみ》に包まれて静まりかえるレイヴンズウッド通り《アヴェニュー》を縁どる木々のあいだには濃霧がたれこめ、そのなかをひとりで歩く男がいた。そこは、ランス、ケン、それに三人の社員が伸びをしたり、タバコを喫《す》ったり、小用を足したりしている建物から一二〇ヤード離れたところだった。男はADSC社が入るビジネスパークのほうへと近づいていく。未明という時間と、街灯の光を直接浴びないように進路をすこしずつ変えながら歩いているという点を除けば、その男のようすに異常なところはまったくなかった。

男は黒のジッパー式のレインコートに身を包み、フードを下ろして、手袋をはめた手には何も持たず、のんびりしたペースで歩いている。

彼の三〇ヤードほどうしろには第二の男がいて、同じ進路をたどって歩いていたが、歩くスピードは前の男よりも速く、二人の間隔は狭まりつつあった。そしてその第二の男も黒いレインコートを着てフードを下げている。

さらに第二の男の三〇ヤードうしろにも別の男がいて、やはり同じ進路をたどっていた。ただ、その第三の男はジョギングをしていて、先を歩く二人に急速に迫っていく。この男のジョギング用ウェアも黒い。

三人はビジネスパークの駐車場のわずか数ヤード手前でいっしょになり、ジョギングをしていた男が他の二人に合わせて歩きだし、三人はひとかたまりになって敷地のなかに入った。

相変わらずのんびりした仕種《しぐさ》で、三人はレインコートや上着のフードをぐいと顔の前まで下げた。そして三人とも、首に巻いていた黒いフリースのネック・ゲーターを、手袋をはめた手でいっせいに引き上げ、目の下端から顎《あご》までの顔をおおい隠した。

三人は停電がなければ明るかったはずの小さな駐車場に入りこんだ。

三人ともレインコートか上着の内側に手を突っ込み、ベルギー製のセミオートマチックFN Five《ファイヴ》-seveN《セヴン》を引き出した。それぞれの拳銃《けんじゅう》には、小銃用の弾薬を切り詰めたような形状の強力な5・7×28ミリ弾が二一発装塡《そうてん》されていた。

そして、その三挺《ちょう》の拳銃の銃口からは長い減音器《サプレッサー》が突き出している。

その小作戦部隊の指揮をとっていたのは、〈ツル〉というコールサインをもつ男だった。配下の作戦要員はもっと――ぜんぶで七名――いたが、初《しょ》っ端《ぱな》の敷地侵入には全員参加の必要はないと〈ツル〉は判断した。だから、作戦のこの段階には自分のほかに〝資産《アセット》〟を二名だけ投入するにとどめた。

そしてその判断は正しかった。ＡＤＳＣ社はいくら想像をたくましくしても難しいターゲットとは言えなかった。

まだ夜が明けぬこの時間にビジネスパークで働いていた警備員はひとりだけで、彼はゴルフカートに乗って敷地内をパトロールしていた。しかも彼はビニール製のジッパー付き雨よけカーテンで濃霧から護られていた。

停電が三〇秒ほどたっても復旧しなかったので、警備員はベルトに手を伸ばし、ｉＰｈｏｎｅを引っぱり出した。このビジネスパークには六つの会社が入っていたが、今夜、まだ未明というこの時間に敷地内に残って仕事をしているのは、ＡＤＳＣ社の数人だけだと、警備員にはわかっていた。彼がスマートフォンをとりだしたのは、彼らに電話して、懐中電灯を持って来てほしくないかどうか確認しようと思ったからだ。

連絡先リストをスクロールしていたとき警備員は、ビニール製の雨よけカーテンの外の暗闇のなかで何かが動くのを目の端でとらえた。彼は左上をチラッと見やった。

〈ツル〉は五フィート離れたところから一発だけ撃ち、透明なビニール製の雨よけカーテンの向こう側にいる警備員の額に弾丸をもぐりこませた。カーテンにおおわれたゴルフカートの車内に血と脳髄が飛び散り、まだ若い警備員は顔から前向きに倒れこんだ。スマートフォンが指先から滑り落ち、脚のあいだに転がった。

〈ツル〉はビニール製のカーテンのジッパーをひらくと、死んだ警備員のポケットを探り、鍵束《かぎたば》を見つけてとりだした。

三人の男たちは前進をつづけ、建物の片側へまわりこんだ。そこも暗闇に包まれていたが、オレンジ色の小さな火がひとつ浮かんでいた。タバコの火だ。

「おい」火の向こうから不明瞭《ふめいりょう》な声が飛び出した。

〈ツル〉はサプレッサー装着のFiveｰseveN《ファイヴセヴン》を上げ、暗闇に浮かぶ火の下に弾丸を三発撃ちこんだ。一瞬、発砲炎があたりを照らし、ひらいたドア口のなかにうしろ向きに倒れこむ若い男が見えた。奥には小さなキッチンがある。

フードをかぶった〈ツル〉配下の二人の〝資産《アセット》〟がすかさず走っていき、死んだ男を外に引っぱり出してからドアを閉めた。

〈ツル〉がレインコートからトランシーヴァーをとりだし、送信用のPTTボタンを三回クリックした。

三人の男たちはその建物の側面のキッチン・ドアのそばで待った。三〇秒もすると、黒塗りのフォード・エクスプローラーが一台、ヘッドライトを消したまま猛然と駐車場に入ってきた。エクスプローラーがスピードを落とし、とまると、そこから〝資産《アセット》〟がさらに五人、どっと飛び出した。みな、ドア口に立つ男たちと同様の服装をしていたが、新来者たちの背には大きなバックパックがあった。

各要員にはコールサインとしてそれぞれ別の鳥の名が与えられていた——すなわち、〈ツル〉〈ライチョウ〉〈ウズラ〉〈ハマシギ〉〈シギ〉〈カモメ〉〈ヒドリガモ〉〈アヒル〉。〈ツル〉は指揮する訓練を受け、他の者たちは指揮官の命令にしたがう訓練を受けていたが、人を殺す訓練はこのチームの全メンバーが受けていた。

彼らは建物の設計図を手に入れて内部がどうなっているか完全に把握していたし、地下のサーヴァー・ファームの見取り図を持っている者もいた。八人はひとかたまりになってキッチン・ドアから入り、暗闇のなかを静かに移動しはじめた。キッチンを通り抜け、廊下を進み、フロント・ロビーに出た。そこで二手に分かれ、四人が階段に向かい、残りの四人はまっすぐ奥へと進み、エレベーターを通り越してメイン・オフィスへ向かった。

ランス・ボールダーはキッチンのそばのクロゼットのなかにある道具箱からとりだした懐中電灯で廊下を照らし、階段のほうへと歩いていた。停電時にサーヴァーを動かすはずのUPSシステム（無停電電源装置）が正常に作動しているかチェックするためだった。ブレーカー落ちが停電の原因であってほしいと心の底から願っていたが、ともかく、ビジネスパーク全体が停電しているのかどうか確認しておこうと思い、ベルトのスマートフォン・ケースからブラックベリーをとりだし、今夜のビジネスパーク担当警備員であるランディ宛《あ》てのメールを作成しはじめた。

ブラックベリーから顔を上げた瞬間、ランスはギョッとして足をとめた。わずか数フィート先に、全身黒装束の男がひとり、自分が向ける懐中電灯の光を浴びて立っていたからだ。しかも、その男のうしろにさらに何人かいる。

先頭の男の手がにぎる拳銃の銃身がおそろしく長いことにも気づいた。

ランスは唇のあいだからかすかなあえぎ声を洩《も》らすことしかできなかった。その直後に〈ツル〉が撃った二発の弾丸を胸に受けたからだ。発砲音は減音されていたとはいえ、なお大きく、廊下に響きわたった。ランスは右の壁に強くあたり、左へ弾《はじ》き返されて回転し、顔から床に倒れこんだ。

懐中電灯が床に転がり、四人の殺人者たちの行く手を照らした。四人はメイン・オフィスへ向かって前進を再開した。

ケン・ファーマーはある意味では停電をうまく利用していた。なにしろ、この六時間以上、コンピューターが載った自分の机から離れていなかったのだ。彼は小用をすませたところだった。非常灯の光はトイレのそばの廊下までとどかなかったので、オフィスに帰ろうとドアをあけると、文字どおり手探りで進まざるをえなくなった。

そしてそうやって数フィート進んだところで、前方に男たちの人影を見た。即座に、同僚ではないとわかった。

「何者だ？」ケン・ファーマーは誰何《すいか》した。びっくりしすぎて恐怖をおぼえる余裕もなかった。

先頭の男がつかつかと足早に歩いてきて、まだ熱い拳銃のサプレッサーの先を彼の額にピタッとあてた。

ケンはゆっくりと両手を上げた。「金ならない」

彼はサプレッサーに額を押されて、うしろ向きに歩かされ、暗いメイン・オフィスにもどった。と、即座に、いくつもの黒い人影が部屋のなかを動きまわり、そばを通りすぎるのが見え、ラジェッシュとティムの叫び声が聞こえ、次いで、強烈な打撃音のようなサプレッサーで減音された発砲音と、空薬莢《やっきょう》がタイル張りの床に落ちてカラカラと跳ね転がる音が聞こえた。

ケン・ファーマーは自分の机まで押しやられると、体の向きを変えさせられ、手袋をはめた手で荒っぽく椅子《いす》に座らせられた。部屋にあるモニターの光で、床に横たわるティムとラジェッシュが見えた。

彼の心はまだ、二人が射殺されたという事実を処理できず、それを事実として受け入れることができずにいた。

「欲しいものは何でも……やる。だから、お願いだから――」

〈ツル〉はFive《ファイヴ》-seveN《セヴン》のサプレッサーの先端をケン・ファーマーの右のこめかみに向けると、そのまま密着させるようにして一発、発砲した。骨と組織がカーペットに飛び散り、その赤いぐちゃぐちゃなもののなかに体が崩れ落ちた。

何秒もしないうちに〈ハマシギ〉から無線連絡が入った。中国語（普通話）での報告だった。「建物内部に脅威なし」

〈ツル〉はそのトランシーヴァーの連絡には応《こた》えなかった。代わりにレインコートから衛星携帯電話をとりだし、キーをひとつだけ押した。数秒待ち、電話がつながると、〈ツル〉もまた中国語で言った。「電気をつけろ」

一五秒もしないうちに、電気が建物全体にもどった。〈ツル〉の七人の〝資産《アセット》〟のうち四人がＡＤＳＣ社の玄関口と側面の出入り口に立って見張り、残りの三人が地下室へ下りた。

〈ツル〉はケン・ファーマーの机に向かい、彼のＥメール用ソフトウェアをひらいた。そして新しいメール・メッセージの作成を開始し、宛先にケンのアドレス帳にある全員のアドレスを追加した。その操作でメールを受け取るアドレスは一〇〇〇を超えてしまった。次に〈ツル〉はレインコートのなかに手を入れて小さなメモ帳を引っぱり出した。そこには英語で書かれた手紙文があった。〈ツル〉はそれをメールに転記した。手袋をはめたままだったので打ちこむスピードはおそろしく遅かった。

家族、友だち、同僚のみなさん

みんな愛しています。でも、もうわたしはつづけられないのです。わたしの人生は失敗でした。わたしたちの会社はまやかしです。だから、すべてを破壊します。全員を殺します。そうするしかないのです。

ごめんなさい。

さようなら、ケン

転記し終えても〈ツル〉は送信ボタンをクリックせず、トランシーヴァーを口に近づけた。そして、ふたたび中国語で言った。「一〇分」

〈ツル〉は立ち上がると、ケン・ファーマーの死体をまたぎ、地下室へ向かった。地下室では配下の三人がすでに、すべてのサーヴァーの中やまわりに十数個の手製爆弾を取り付ける作業を開始していた。爆弾はそれぞれ、サーヴァーのハードディスクドライヴやメモリーボードのそばに注意深く取り付けられた。デジタル記録をいっさい残さないようにする措置だった。

ハードディスク内の記録を完全に消去するには数時間かかる。〈ツル〉にはそんな時間的余裕はなかった。彼はもっと動力学的《キネティック》な手法をとるよう命じられていた。

七分後、爆弾の取り付けは終わった。〈ツル〉は〈カモメ〉とともにメイン・オフィスにもどり、自分の拳銃を〈カモメ〉に手わたすと、ふたたびケン・ファーマーのキーボードにおおいかぶさるようにして、マウスでメールの送信ボタンをクリックした。これで一一三〇のアドレスに不穏なEメールがいっせいに送信された。

〈ツル〉は手紙文が書かれているメモ帳をポケットにもどしてからケン・ファーマーの死体を見つめた。死人の右手には〈カモメ〉がにぎらせたFN Five《ファイヴ》-

seveN《セヴン》があった。

さらに予備弾倉《マガジン》数個がケン・ファーマーのポケットに入れられた。一分もしないうちに四人の男たちはメイン・オフィスをあとにした。ひとりが地下の導火線に火をつけ、四人ともキッチン・ドアから外に出て、待っていたフォード・エクスプローラーに乗りこんだ。

見張りに立っていた四人はすでに車に乗っていた。

エクスプローラーは静かにゆっくりと駐車場から出た。〈ツル〉率いるチームがビジネスパークに侵入してからわずか一三分後のことだった。エクスプローラーがレイヴンズウッド通り《アヴェニュー》から出て高速道路に乗った四分後、背後の未明の空が大爆発の炎で明るくなった。

16

ジャック・ライアン・ジュニアは黒のBMW335iをワシントンDCに乗り入れた。今朝はナショナル・モールのまわりを一走りするつもりなのだ。メラニー・クラフトもいっしょだった。彼女は昨夜ジャックのアパートメントに泊まったのである。二人ともジョギング用の服に靴という格好で、メラニーはウォーター・ボトル、鍵《かぎ》、札入れ《ウォレット》、その他小物がいくつか入ったファニー・パックを腰につけていた。二人は走る前にもうすこしエネルギーを得ようと、ひとつの魔法瓶から代わるがわるコーヒーを飲んでいた。

ジャック・ジュニアはリフレクティング・プールのすぐ北の駐車場に車を入れ、二人はNPR（ナショナル・パブリック・ラジオ）の『ウイークエンド・エディション』を聴きながらコーヒーを飲み終えた。その週末ニュース番組は、前日の未明にカリフォルニア州メンローパークのコンピューター関連会社で起こり五人の死者を出した〝道連れ自殺〟についても簡単に伝えていた。

そのニュースにはジャックもメラニーも何の感想も洩《も》らさなかった。ニュースのセクションが終わると、二人はジャックのBMW《ビーマー》から降りて、リフレクティング・プールまで歩き、そこで数分間、ストレッチをしたり、水を飲んだり、国会議事堂の上に昇る朝日や、それぞれ好きな方向へ走る朝のジョガーをながめたりした。

すぐに二人も西に向かって走りはじめた。体調は二人とも申し分なかったが、スポーツに関しては万能のメラニーのほうがジャックよりも上だった。彼女は、空軍大佐の父が駐在武官としてエジプトに赴任していたときにサッカーをはじめた。まだティーンエージャーのころのことで、以後サッカーに打ちこみ、おかげで全額支給奨学金を得てアメリカン大学にも入学でき、大学時代はタフで頼れるディフェンダーとして活躍し、最終学年には主将にまでなってチームを牽引《けんいん》した。

さらに学部を卒業しても体の鍛錬をやめず、大学院の二年間もジョギングとジムでの長時間のきついトレーニングで体力を維持しつづけた。

一方、ジャックのほうは、三マイルから四マイルの朝のジョギングを週に何回かする習慣をつけていたので、いっしょに走ってもだいたいいつもメラニーのペースについていけるのだが、今朝はもうすぐ五マイルというところで息が上がりはじめた。スミソニアン博物館の前を通り過ぎたとき、すこしペースを落としてくれないかとメラニーに頼みたい衝動に駆られた。が、その衝動をなんとか抑えこんだ。苦しくなっていることを認めるのはプライドが許さなかった。

五マイルを過ぎた直後からメラニーが何度も自分のほうを振り返るのにジャックは気づいた。自分が苦しげな顔をしているのはわかっていた。体のあらゆる部分が苦しいと言いはじめているのだ。だがジャックはそれをメラニーに認めるのは嫌だった。

メラニーが軽い調子で訊《き》いた。「ストップする？」

「なぜ？」ジャックは訊き返した。荒くなった呼吸のせいで早口になった。

「ジャック、すこしペースを落としてほしいなら、そう言ってくれれば――」

「大丈夫。どっちが速いか勝負するかい？」ジャックはスピードをすこし速め、メラニーの前に出た。

メラニーは笑い声をあげた。「いいえ、遠慮するわ。わたしにはこのペースがちょうど気持ちいいの」

ジャックはスピードをすこしゆるめて元のペースにもどした。自分のはったりにメラニーが挑んでこなかったので、内心胸をなで下ろしていた。つづく五〇ヤードほど、自分に注がれるメラニーの視線が気になってしかたなかった。たぶん見透かされているのだろうと思ってもいた。もうこれ以上急《せ》き立てないところを見ると、今朝はメラニーも手加減してくれているにちがいない。それがありがたかった。

結局、二人は六マイルちょっと走り、出発地点のリフレクティング・プールのそばで今朝のジョギングを終えた。走るのをやめるや、ジャックは体を二つに折り、両手を両膝《ひざ》にのせた。

「大丈夫？」メラニーは片手をジャックの背中においた。

「あっ、ああ」ジャックはなんとか早く回復しようと頑張った。「ちょっと風邪を引きかけているのかも」

メラニーはジャックの背中を軽くぽんぽんとたたくと、ファニー・パックからウォーター・ボトルを引っぱり出し、差し出した。「これを飲んで。帰りましょう。途中でオレンジを買って、ジュースをつくるわ。それといっしょに食べるオムレツもつくってあげる」

ジャックは上体を起こし、ボトルを絞るようにして水をたっぷり口のなかに流しこんだ。そしてメラニーに軽くキスをして言った。「愛してる」

「わたしも愛しているわ」メラニーは返し、ボトルを取り戻して自分もごくごく水を飲んだ。と、そのとき、ボトルの向こうに嫌なものが見え、彼女は不快げに目を細くした。

リフレクティング・プールにそってさらに一〇〇フィートほど行ったところに、トレンチコートにサングラスという出《い》で立《た》ちの男がひとり、こちらを向いて立っていたのだ。男は二人をじっと見つめていて、メラニーに見つめ返されても、まったく視線をそらそうとしなかった。

ジャックは男に背を向けていたので、そういう男がいることにさえまったく気づいていなかった。「車に戻ろうか？」

メラニーは素早く男から視線をそらした。「ええ、戻りましょう」

二人はトレンチコートの男がいるところとは逆方向のペンシルヴェニア通り《アヴェニュー》に向かって歩きはじめた。が、二〇ヤードも歩かないうちに、メラニーは手を伸ばしてジャックの肩をつかんだ。「あのね、こんなの嫌でたまらないんだけど、今朝はやらないといけないことがあって自分のところへ帰らないといけないの。いま思い出しちゃった」

ジャック・ジュニアはびっくりした。「ぼくのところには戻れないということ？」

メラニーの顔にもがっかりした表情が浮かんだ。「そうなの。ごめんなさい。家主のためにやらないといけないことがあるの」

「手伝おうか？　ドライバーの扱いなら得意だよ」

「いえ……大丈夫、ありがとう。ひとりでできることなの」

メラニーはジャックの視線がチラチラさまよいはじめたのに気づいた。彼女が心変わりしたほんとうの理由を探そうとしているかのような目の動きだった。

計画の突然の変更についてさらに突っ込んでジャックに尋ねられる前に、メラニーは訊いた。「今夜、妹さんもまじえてボルティモアでディナーをとるという話は、まだそのままよね？」

ジャックはゆっくりとうなずいた。「うん」しばし間をおいてから尋ねた。「何かまずいことでも？」

「いえ、まったく。まずいことといったら、自分が借りている家に関係することで片づけないといけない用事があったのを忘れていたことだけ。ああ、それから、月曜日の仕事のためにやっておかないといけないこともあるし」

「それって、自分の家でできること？　それともリバティ・クロシングまで行かないといけないの？」リバティ・クロシングは、メラニー・クラフトの現在の仕事場であるODNI（国家情報長官府）がある敷地の名前だ。

「公開情報を調べるだけだから家でできるわ。わたしがいつもどういうふうに〝内職〟しているか知っているでしょう?」メラニーはにっこり笑って見せた。むりやり浮かべた笑みだと気取られないようにと祈った。

「家まで車で送っていくよ」ジャックは言った。メラニーの話はとても信じられるものではなかったが、だまされたふりをしつづけた。

「いいの、いいの。アーカイヴス・メトロ駅から電車に乗ればすぐだから」

「わかった」ジャックは言い、メラニーにキスをした。「じゃあね。五時三〇分くらいに迎えにいく」

「楽しみにしているわ」

ジャックは車のほうへ向かいはじめた。そのジャックの背中にメラニーは大声で言った。

「どこかでOJ《オレンジジュース》を買って帰りなさい。風邪、気をつけてね」

「ありがとう」

数分後、メラニー・クラフトはペンシルヴェニア通り《アヴェニュー》を歩いて北西に進み、有名なステーキ・レストラン『キャピタル・グリル』の前を通りすぎて、アーカイヴス・メトロ駅に向かっていた。右へまがって七番通り《ストリート》に入ると、トレンチコートの男がすぐ目の前にいて、こちらにまっすぐ向いていた。

「ミス・クラフト」男はいかにも慇懃《いんぎん》そうに笑みを浮かべて言った。

メラニーはハッとして足をとめ、男を数秒間じっと見つめてから言った。「いったいぜんたいどうしちゃったんですか?」

笑みを浮かべたまま男は訊いた。「どういう意味です?」

「こんなふうにあらわれてはいけないいじゃないですか」

「いけなくはない。だからあらわれた。ちょいとお時間を拝借しなければならなかったんです」

「あんた、くたばれば」

「おやおや、あまり上品な言葉とは言えませんな、ミス・クラフト」

メラニーはふたたびメトロの駅に向かってゆるやかな坂をのぼりはじめた。「彼に見られたわよ、あなた。ジャックに見られたわ」

男は勢いよく歩きはじめたメラニーを追い、遅れまいと足を速めた。「見られた証拠でもあるのですか? それとも見られたかもしれないと思っているだけ?」

「気づかれたと思っているんです。だって、あなたはわたしに不意打ちをかけたのよ。おかげでわたしは彼に肘鉄《ひじてつ》を食わせなければならなかった。もしかしたらあなたはわたしたちのところまでまっすぐ歩いてくるんじゃないかと思ったから。彼は何か変だと思ったにちがいないわ。彼はね、馬鹿《ばか》ではないの」

「監視を見抜く能力というのは、頭の良さとはまったく関係ない。それは訓練のたまものなんです、メラニー」

メラニー・クラフトは黙っていた。ただ歩きつづけた。

「そんな訓練を彼がどこで受けたというのです？」

メラニーは足をとめた。「話さなければならないことがあったら、電話すればいいじゃないですか？」

「だから、今日は直接会って話したかったのです」

「何を？」

今度は男も顔をゆがめて苦笑した。「そうつっかからないでくださいな、メラニー。お手間はとらせません。この先のインディアナ通《アヴェニュー》りに車をとめてあるんです。どこか静かなところを見つけましょう」

「こんな格好で？」メラニーは、自分の体にぴったり貼《は》りついたライクラのランニング・ショーツと、これまた体にぴったり合ったプーマのジャケットを見下ろした。

男は視線を何度か上下させ、目でメラニーの全身をあらためた。すこし時間をかけすぎだった。「いけませんか？　わたしはその格好のきみをどこへでも連れていけますよ」

メラニー・クラフトは心のなかでうめき声をあげた。ダレン・リプトンはメラニーが政府機関で働きだしてから最初に出会った好色漢ではなかった。目つきのいやらしい男なら前にも会ったことがある。だが、ＦＢＩ上級特別捜査官でもある好色漢というのは、このリプトンが初めてだった。だから、車に向かうリプトンにしぶしぶついていった。

17

メラニー・クラフトとダレン・リプトンは地下駐車場へといたる傾斜路《ランプ》をいっしょに歩いて下りていった。土曜日の早朝のせいで、駐車場はほとんど空という状態だった。リプトンに指示されて、メラニーもトヨタ・シエナ・ミニヴァンのフロントシートに乗りこんだ。リプトンはイグニッションにキーを差しこみはしたが、それを回してエンジンをかけるということはしなかった。二人はしんと静まりかえった駐車場の闇《やみ》に近い暗がりのなかに座っていた。二人の顔を照らす明かりは、コンクリートの壁に取り付けられた一本の蛍光灯のほのかな光だけだった。

リプトンは五十代の男なのに、白髪混じりの金髪を少年のように前にたらしていた。ただ、それで実際の年よりも若く見えるかというと、まったくそういうことはなく、単に年不相応なちぐはぐな印象を与えるだけだった。顔にはニキビ跡と皺《しわ》がたっぷり散らばり、酒も大好きなら、日向《ひなた》ぼっこも同じくらい大好き、というふうに見える。メラニーはその二つを同時にだらだらといつまでも楽しんでいるリプトンをつい想像してしまう。そのうえリプトンはアフターシェーヴ・ローションの香りをぷんぷんさせている。この人、バスタブにアフターシェーヴ・ローションを満たし、毎朝そのなかに漬かっているんじゃないかしら、とメラニーが思うほどだ。それにリプトンは話し声が大きく、おまけに早口。さらに、初めて顔を合わせたとき、話し合っているあいだずっと、わざとわかるようにメラニーの胸を見つめつづけていた。その視線に気づいている彼女の反応を明らかに楽しんでいたのである。

そのときメラニーは、高校のときのボーイフレンドの伯父を思い出した。その男もまた、ずいぶん長いあいだメラニーの体を見つづけたのだ。そしてスポーツで鍛えた彼女の肉体を褒めちぎった。その言いかたがまたなんともいやらしかったが、そうではないと否定できるように言葉を注意深く選んではいた。

ダレン・リプトンはひとことで言うと気味の悪いやつだった。

「しばらくでしたな」リプトンは言った。

「この何カ月か何の連絡もなかったものですから、あなたは異動になったんじゃないかなと思っていたんですけどね」

「異動？　わたしがFBIをやめたとか、国家保安部からよそへ移されたとか、防諜《ぼうちょう》課から他の部署へ追いやられたとか？」

「この捜査をしなくてすむようになったんじゃないかなと思ったのです」

「ジャック・ライアン・ジュニアへの捜査をやめる？　とんでもない、マーム。その真逆《まぎゃく》でしてね、われわれはきみとちょうど同じように、彼には相変わらずとっても興味があるんです」

「つまり、証拠らしいものはまだ何ひとつ摑《つか》んでいないということね」メラニーは嘲《あざ》笑《わら》うような口調で言った。

リプトンは指でハンドルを小刻みにたたいた。「この司法省による捜査は現時点では情報収集の段階でしかなく、起訴にまで至るかどうかはまだわかりません」

「それで、あなたが指揮しているんですか？」

「わたしはきみを指揮し、運営している。いまの段階では、はっきり言って、きみはそれ以上のことを知る必要はない」

メラニーはフロントガラスの向こうのコンクリートの壁に目をやったまま言った。

「アルデン元CIA副長官が逮捕されたあと、一月にあなたから連絡が入って、話し合ったときも、あなたはまったく同じことを言いましたよ。たしかあなたは、こんなふうに言っていた――FBI国家保安部はいま、アルデンがジャック・ジュニアおよびヘンドリー・アソシエイツ社に抱いていた懸《け》念《ねん》に関心を寄せ、探りを入れている。

ジャックと同社の同僚たちは国家安全保障関連の秘密情報を入手し、それを利用して金融市場で取引をするという違法行為をしている疑いがある。でも、それはみな、まだ憶測にすぎず、犯罪がおこなわれたとの確証は国家保安部防諜課もまったく摑んでいない。ということはつまり、六カ月後のいまになっても、その状況は何ひとつ変わっていない、ということですか？」

「変わりましたよ、ミス・クラフト。でも、どう変わったかということは、きみは知らなくていい」

メラニーは溜息《ためいき》をついた。まさに悪夢だった。ダレン・リプトンともFBIの防諜課ともきっぱり縁が切れてしまいましたようにと、ここのところずっと祈りつづけていたのだ。「あなたがたが彼についてどんなことを摑んでいるのか知りたいんです。この捜査がいったいどういうものなのか知っておきたいのです。協力してくれと言うんだったら、少しは教えてもらいませんと」

メラニーより三〇歳ほども年上の男は首を振った。だが、相変わらずにやにや笑っている。「きみは国家情報長官府に出向中のCIA職員です。そしてきみがこの捜査にわけるわたしの秘密情報提供者であることは間違いない。そんな立場の者に捜査ファイルをのぞく権利はありません。きみにはこの件に関してFBIに協力しなければならない法的責任があるのです。むろん、道義的責任もある」

「メアリ・パット・フォーリは？」

「彼女がどうしました？」

「前回会ったとき、メアリ・パットもヘンドリー・アソシエイツ社への捜査の対象になっていると言っていたじゃないですか。だからわたしは彼女にはこの件に関する情報を何も洩《も》らせなかった。彼女への疑いくらいは……この件に関する疑いくらいは、もう解消できたんでしょうね？」

リプトンは答えた。「いいえ」そのひとことだけ。

「それじゃあ、メアリ・パットとジャックが何らかの犯罪に係っているというんですか？」

「われわれはその可能性をまだ排除していません。なにしろフォーリ夫妻は三〇年以上も前からライアン家の者たちと友人関係にありますからね。わたしの仕事では、おわかりとは思いますが、そうした親しい関係を結んでいる者同士はよく話し合うと考えなければならないのです。ジュニアとフォーリ長官とが実際にどういう関係にあるのか、その詳しいところはわれわれにもわかりませんが、二人がこの一年間に何度も会っているということはこちらも把握しています。彼女なら、最高の秘密情報取扱資格《セキュリティ・クリアランス》を有しているわけですから、その気になればヘンドリー・アソシエイツ社の利益となるように秘密情報をジャック経由で提供することも可能です」

メラニーは頭をヘッドレストにもたせかけ、長い溜息をついた。「こんなの完全にいかれてる《ファッキング・クレイジー》、リプトン。ジャック・ライアン・ジュニアは金融《ファイナンシャル》アナリストなのよ。そしてメアリ・パット・フォーリは……だって彼女はアメリカの名物高官じゃない。いまあなたも言ったように、ジャックとメアリ・パットは古くからの友人なんです。二人で昼食をとることもあるけど、ごくたまにだし、そういうときはふつう、わたしもいっしょ。二人がアメリカの国家安全保障を脅《おびや》かす犯罪に手を染めているなんて、そんな可能性を考えるのさえ異様、奇っ怪だわ」

「きみ自身がわれわれに言ったことを思い出してほしいなあ。ジョン・クラークとジャック・ライアン・ジュニアおよびヘンドリー・アソシエイツ社とを結びつける情報をチャールズ・アルデン元CIA副長官から求められたとき、きみはこう報告した――彼らは金融取引や為替裁定取引《アービトラージ》以上の何かを実際にやっている、間違いありません、とね。きみはわたしにも、昨冬パキスタンで例の事件が起こったときライアンも向こうにいたにちがいない、と言いましたよ。それはたしか、まだ二回目の接触のときのことでしたな」

メラニーはしばしためらった。「パキスタンにいたと思っただけ。わたしが例の事件に関連することを言ったとき、彼は非常に疑わしい反応をしたのです。ほかに……『彼はわたしに嘘《うそ》をついている』と思わざるをえないような状況証拠もありましたしね。でも、言ってみればみな憶測で、証明できたことは何もないのです。それに、たとえ彼がほんとうにわたしに嘘をついていたとしても、また、たとえ彼がパキスタンにいたとしても……別にどうってことはありません」

「だから、きみはもうすこし深くさぐる必要があるのです」

「わたしは捜査官ではありませんよ、リプトン。むろん、ＦＢＩ国家保安部員でもない」

リプトンはにっこり笑って見せた。「きみなら優秀な国家保安部員になれますよ、メラニー。なんなら上の者に話しておきましょうか？」

彼女は笑みを返さなかった。「遠慮します」

リプトンは急に真顔になった。「われわれはまだ真相にたどり着いていません。ヘンドリー・アソシエイツ社が何らかの犯罪をおかしているというのなら、それを知る必要があります」

「ここのところ何の音沙汰《おとさた》もなくて……ええと、どのくらいだったかしら？　六カ月間？　なぜ半年ものあいだ何もしなかったんですか？」

「していましたよ、メラニー、ほかの方法でね。だから、前にも言ったとおり、きみはパズルのほんの小さなピースにすぎないのです。とはいうものの、きみはわれわれの大事な潜入スパイ――インサイド・マン――です。おっと失礼、インサイド・ウーマンでしたな」リプトンはにやっと笑って言い、メラニーの体にぴったりフィットしたプーマのジャケットをちらっと見やった。

メラニーはリプトンの女性蔑視《べっし》を無視して言った。「だから、どうしちゃったんですか？　どうして今日こんなところで話し合わなければならないんですか？」

「おやっ、きみはわれわれがちょこっと会いにくるというのが気に入らない？」

メラニーは黙ってリプトンをにらみつけた。〝くそでも食らえ〟という視線。それはリプトンがこれまでにも多くの美女から浴びせられてきた視線だ。

ダレン・リプトンは軽くウインクして見せた。「上司たちが捜査の進展を望んでいましてね。盗聴や位置追跡装置の使用が検討されていますし、ライアンや彼の同僚に監視チームをつけようかという話まで出ているのです」

メラニーは首を勢いよく振った。「だめ！」

「ですからね、そんなことは必要ないと、わたしは上司たちに言ったんです。きみは対象《サブジェクト》と……親密な関係にありますからな、本格的な監視がはじまれば、当然きみのプライヴァシーも侵されることになる。でも、上司たちにとってはそんなことはどうでもいい。きみはまだあまり役立っていない、と彼らは考えているのです。でもね、わたしはなんとか頑張って、きみのために時間を稼いであげました。ですから、FBIが全面的努力《フルコート・プレス》を開始する前に、きみひとりでどうにか努力して有用な情報をもたらしてほしい」

「たとえばどんな情報?」

「われわれが知る必要があるのは、彼がいた場所。一日二四時間・週七日、それがむりなら可能なかぎりの、彼の居所。彼がしたあらゆる旅行の詳細。何時にどの便に乗り、飛行時間は何時間で、どのホテルに滞在し、だれと会ったか?」

「出張のときは、わたしは置いてきぼりですよ」

「だったら、巧妙な問いでもっと聞き出さないといけないということでしょう。ベッドのなかのピロー・トークで」リプトンはまたウインクをした。

メラニーはふたたび無視。

リプトンはつづけた。「彼が旅行に出かけたら、旅程をメールさせればいい。淋《さび》しくてしかたない、どこへ行くのか教えて、と彼に言えばいい。予約のときに航空会社から送られてくる確認メールをきみのところへ転送させるんです」

「彼は航空会社の定期便なんて利用しません。会社に自家用機があるんです」

「自家用機?」

「ええ。ガルフストリーム。BWI――ボルティモア・ワシントン国際空港――から飛ぶんです。わたしが知っているのはそれだけ。彼が二、三度そう言ったんです」

「なぜわたしはそれを知らなかったんだろう?」

「さあ、なぜでしょうね。わたしはアルデンには報告しましたよ」

「だから、きみはわたしには報告しなかったんですよ。わたしはFBIで、アルデンはCIA。おまけにアルデンは目下、自宅監禁中。彼はもはやわれわれに協力することはできません、絶対にね」ダレン・リプトンはまたしてもウインクして見せた。

「われわれは善玉で、逮捕されるような悪玉とは手を組めない」

「なるほど」メラニーは応《こた》えた。

「きみには彼の同僚たちに関する情報もとってきてもらわないと。第一に、彼といっしょに旅をするのはだれか?」

「そんなこと、どうやって知るの?」

「嫉妬《しっと》しているの、と彼に言ったら? ほかに恋人がいるんじゃないかと心配しているの、とか? 何だっていい、うまいこと言うんです。さっき二人でいるところを見せてもらいましたが、きみは彼を完全に虜《とりこ》にしている。すごいことです。それを利用すればいい」

「ファック・ユー、リプトン」

リプトンは破顔し、目をぎらぎら輝かせた。彼が当意即妙に会話をいやらしい方向へ導いて楽しもうとしているのがメラニーにもわかった。「ファック・ユー? わたしをファックする? いいですとも、してください、マイ・ディア。やっと心が通じましたな。シートを倒せば準備完了です。このトヨタ・シエナがサスペンションの耐久テストを受けるのは今回が初めてではありません。どういう意味か、おわかりでしょう?」

もちろんリプトンは冗談を言ったのだ。だが、メラニー・クラフトは吐き気をもよおした。ほとんど反射的に彼女は手を上げ、中年のFBI特別捜査官の頬から口に平手打ちを食わせた。

メラニーの掌《てのひら》がリプトンの肉付きのよい顔面を激しく打った。その音は閉め切ったミニヴァンのなかで小銃の発砲音のように響いた。

リプトンは痛みと驚きで弾《はじ》かれたように身を引いた。いやらしい笑みは吹き飛んでいた。

メラニーは思いっきり叫んだ。「もう我慢できない！ あんたとは終わり！ ボスたちに言いなさい――わたしに協力してほしいんだったら、ほかの捜査官をよこしなさい、って。協力はせざるをえないけど、あんたとはもうひとことも口を利《き》かない！」

リプトンは唇に指先をふれさせ、そこについた血の小さな染《し》みを見下ろした。メラニーの平手打ちはそれほど強烈だった。

メラニーは怒りをあらわにしてリプトンをにらみつけた。ミニヴァンから降り、メトロの駅まで歩こう、と思った。ジャックがどんなことに係っていようと、それはアメリカを害するものであるはずがない。それに、一月に頼まれたことはすべてやったのだ。

ＦＢＩなんてもうクタバレだわ！

メラニーがドア・ハンドルに手を伸ばそうと体の向きを変えたとき、リプトンが口をひらいた。穏やかだが重々しい口調だった。まるで人が変わったような言いかただった。

「ミス・クラフト、ひとつ質問があります。事実を正直に答えていただきたい」

「だから、いま言ったでしょ。わたしはね、あなたとはもう話をしないの」

「その質問に答えてくれれば、立ち去って構いません。そうしたいのならね。わたしはあなたを追いません」

メラニーは背中をシートにもどした。そしてフロントガラスの向こうをまっすぐ見つめた。「いいわ。どんな質問？」

「ミス・クラフト、あなたは外国主《フォーリン・プリンシパル》のエージェントとして雇われたことはありますか？」

メラニーは顔をリプトンのほうに向けた。「いったいぜんたい何なのよ、それ？」

「外国主《フォーリン・プリンシパル》というのは、おもに、アメリカ合衆国以外の国の政府を意味する法律用語です」

「外国主《フォーリン・プリンシパル》の意味なら知っているわ。わからないのは、なぜあなたがそんなことを訊《き》くのか、ということ」

「イエスですかノーですか？」

メラニーは首を振った。ほんとうにわけがわからない。「ノー。ノーに決まっているじゃない。わたしを何かの件で捜査しているというのなら、CIA《エージェンシー》の弁護士を呼んでほしい――」

「家族の一員が外国主《フォーリン・プリンシパル》のエージェントとして雇われたことはありますか?」

メラニー・クラフトは口をつぐんだ。全身が硬直した。ダレン・リプトンはだまってメラニーを見つめた。唇から滲《にじ》み出した血が、車外の蛍光灯の光を受けてきらめいている。

「いったい何を……あなたは……何なの、これ?」

「質問に答えてください」

彼女は答えた。が、さっきよりためらいがちに。「ノー。もちろんノー。そういう告発調の質問って、腹が立つから――」

リプトンはメラニーの言葉をさえぎってつづけた。「アメリカ合衆国法典・第二二編はご存じですか?　とくに、その第二節・第六一一条は?」

首を振りながら答えたメラニーの声はかすれ、小さくなった。「知りません」

「外国エージェント登録法というものです。お望みならば、わたしはいまここでその条項をそっくりそのまま暗唱することもできますが、今日のところはそのアメリカ合衆国連邦法の小項目でしかない法律の内容をわかりやすく説明するだけにしましょう。それは要するに、『他国のエージェント――たとえばスパイ――として働き、そうしていることをアメリカ政府に届け出ていない者は、他国を利する行為ひとつひとつにつき五年以下の禁固刑に処せられる』というものです」

メラニー・クラフトは困惑をあらわにしておどおどと声を洩らした。「だから、何なんですか？」

「もうひとつ質問します。あなたはアメリカ合衆国法典・第一八編はご存じですか？」

「ですから、リプトン捜査官、わたしにはなぜあなたがそんなことを訊くのか――」

「第一八編は素晴らしいものです。わたしの大のお気に入りです。これもまた、わたしは正確に引用できますが、もちろんあなたには嚙《か》み砕いて説明してあげましょう――それはですね、『連邦政府機関員に嘘をついた者は五年以下の禁固刑に処せられる』というものです」ダレン・リプトンはメラニーに平手打ちを食わされてから初めて笑みを浮かべた。「たとえば、わたしのような連邦政府機関員に嘘をついたら刑務所行きになる」

「ですから？」メラニーの声に二分前にあった空威張りと横柄《おうへい》さはきれいに消えていた。

「ですからね、メラニー、あなたはわたしに嘘をついたのです」

メラニーは黙っていた。

「あなたのお父上のロナルド・クラフト大佐は、二〇〇四年に極秘軍事情報をパレスチナ自治政府に渡しました。ということはつまり、彼は当時、外国主《フォーリン・プリンシパル》のエージェントだったわけです。ところが、そのような届け出はいちどもしなかったし、逮捕されたことも、訴追されたことも、アメリカ政府から嫌疑をかけられたことさえ、いちどもない」

　メラニーは唖然《あぜん》とした。手がふるえはじめ、視界が狭まった。

　リプトンの笑みが顔いっぱいに広がった。「そしてきみは、シュガー、そのことをちゃんと知っている。当時から知っていた。だから、きみはいま、連邦政府機関員に嘘をついたことになる」

　メラニー・クラフトは体をまわしてドア・ハンドルに手を伸ばしたが、ダレン・リプトンに肩をつかまれ、乱暴に引きもどされた。

「おまえはＣＩＡの応募書類でも嘘をついた。他国のエージェントはひとりも知らないし、接触したこともいちどもない、と書きこんだはずだ。おまえの愛《いと》しい大切なダッドは、見下げはてたくそ《マザーファッキング》スパイ、裏切者だったんだ。そしておまえはそれを知っていたんだ！」

　メラニーはふたたび倒れこむようにしてドア・ハンドルのほうに体をまわしたが、

またしてもリプトンに引きもどされた。

「いいか、よく聞け！　ここからＦＢＩ本部《フーヴァー・ビル》までは四分の一マイルしかない。その気ならおれは、一〇分後には自分の机で宣誓供述書の作成にとりかかることができ、月曜の昼飯までにはおまえを逮捕させることもできる。連邦法に抵触する連邦犯罪には仮釈放はないから、禁固五年は文字どおり禁固五年だ！」

　メラニー・クラフトはショックで真っ青になった。顔面から血の気が一気に引き、両手からも血の気が失《う》せるのがわかった。脚に寒気が走った。

彼女はしゃべろうとした。が、言葉が見つからない。

18

リプトンの声がふたたび穏やかになった。「ハニー……落ち着いて。わたしはね、きみのくそダッドのことなんてどうでもいいのです。哀れで気の毒なそいつの娘のことだって、どうでもいいと思っているんですよ、ほんとうは。でもね、ジャック・ライアン・ジュニアのことは捨ててはおけない。とっても気になるんです。彼について知るべきことをすべて知る必要があるのです。そのためにはわたしの道具箱にあるどんな道具でも使うつもりです。それがわたしの職務なんですから」

メラニーは顔を上げ、涙で曇る腫《は》れぼったい目でリプトンを見つめた。

リプトンはつづけた。「ジャック・ライアン・ジュニアがアメリカ合衆国大統領の息子であろうと、わたしはまったくかまいません。彼とウエスト・オーデントンにあるその大儲《おおもう》けしている金融取引会社が、秘密情報を不正に利用して大金持ちになっているというのなら、そいつら全員をとっちめてやらないといけません」

リプトンはすこし間をおいた。

「手を貸してくれますか、メラニー？」

メラニーは目の前のダッシュボードをじっと見つめ、洟《はな》をすって涙を引っこめようとしてから、かすかにうなずいた。

「長期にわたる捜査が必要になるわけではありません。ただ、あらゆる情報をメモし、書きとめ、それをわたしに渡すということを忘れないように。どれほどつまらない情報と思えようと、必ずそうするように。きみはなんてったってＣＩＡの職員だ。そんなの児戯に等しいことでしょう」

メラニーはふたたび洟をすすり、剝《む》き出《だ》しの腕の外側で目と鼻をぬぐった。「わたしは報告書を作成する職員です。分析官です。スパイの運営も、スパイ行為もやっていません」

ダレン・リプトンはにっこり微笑《ほほえ》み、長いあいだ彼女を見つめた。「これからやるのです」

メラニーはふたたびうなずいた。「もう行ってもいいですか？」

リプトンは注意をうながした。「この捜査がどれほど政治的にデリケートなものであるかということは、いまさら言うまでもないでしょうね」

彼女はまた洟をすすり、涙を引っこめようとした。「わたしにとっては個人的にとてもデリケートなものでもあります、ミスター・リプトン」

「そうそう。彼はきみの恋人というか、そういう存在ですからね。ともかく、真面目《まじめ》にやること。そうすれば数週間で終わります。この捜査で何も出てこなかったら、きみたち熱々《あつあつ》カップルはすぐにも、白い杭の垣根《ピケット・フェンス》にかこまれたお家《うち》に住めるようになります」

メラニーはまたうなずいた。すっかり従順になってしまった。

リプトンはさらに言った。「わたしはね、ほぼ三〇年間、防諜《ぼうちょう》の仕事をつづけてきたんです。わたしが取り締まってきたのは、他国の利益のために働くアメリカ人、麻薬組織を儲けさせるアメリカ人、面白半分にスパイ行為をするアメリカ人――ただそうすることができるというだけで秘密文書をインターネット上に漏洩《リーク》するクソ野郎――といった連中です。なにしろ、この仕事を長いことやっているものでね、いままでは嘘《うそ》をつかれたときには項《うなじ》の毛が逆立つ感覚をおぼえるほどになりました。そうやってわたしは嘘をついた野郎たちを連邦刑務所に放りこんできたのです」

穏やかになっていた声がふたたび尖《とが》り、脅す口調にもどった。

「神に誓って言うが、お嬢さん《ヤング・レディー》、おれの項の毛がピクッと動いて、おまえがおれに正直に話していないとわかったら、おまえとおまえの親父《おやじ》は、司法省が見つけられる最高に警備の厳しい最悪の刑務所でなかよく暮らすことになるからな。わかったか?」

メラニーはただ虚空《こくう》を見つめることしかできなかった。

「よし、今日はこのくらいにしておく」リプトンは言った。「だが、いいか、また必ず連絡するから、そのつもりでいろ」

メラニー・クラフトはメトロのイエロー・ラインに乗って、ポトマック川をわたり、アレクサンドリアにある馬車置き場を改造したちっぽけな借家へ向かった。早朝のメトロの車両はがらがらで、彼女はほぼずっと両手に顔をうずめていた。涙を流すまいと懸命に頑張ったが、リプトンとの会話をどうしても思い出してしまい、ときどきすすり泣いた。

父がアメリカを裏切ったことを知ったのは、九年近く前のことになる。当時メラニーはカイロの高校の最上級生で、アメリカン大学の奨学金給付も決まり、国際関係の学士号をとって政府機関――できれば国務省――で働くという計画もすでに立てていた。

父親は大使館付き武官で、アメリカとエジプトとの軍事協力を監督・指導する軍事協力局で働いていた。メラニーは自慢だった。大使館も、そこで働く館員たちも、大好きだった。だから、自分も将来は同じような仕事をして暮らしたい、という思いしか頭のなかにはなかった。

高校を卒業する数週間前、母親が余命いくばくもない姉の世話をしにテキサスに里帰りしているときのことだった。父がドイツに数日出張することになったと言って出かけていった。

ところが、二日後の土曜日の朝、イタリア製バイク、ヴェスパに乗って街を走っていたとき、メラニーは偶然、とあるマンションの建物から出てくる父の姿を見てしまう。そこは、いくつもの並木道にそって高層マンションが立ち並ぶカイロ南部の高級住宅地区マアディーだった。

父はカイロにいたのであり、嘘をついたのだと知って、メラニーはびっくりした。だが、彼女がバイクを近づけて父に問いただす前に、ひとりの女が同じ建物から出てきて父の腕のなかに入った。

女はエキゾティックな美人だった。エジプト人ではないとメラニーはピンときた。顔立ちがどうもちがう。地中海の別の地域の人の顔のように思えた。レバノン人かもしれない、とメラニーは思った。

メラニーは見た。二人が抱き合うのを。

そしてキスをするのを。

それまで生きてきた一七年間、メラニーは父が母をそんなふうに抱くのも、キスするのも見たことがなかった。

メラニーは四車線の通りの向かいに植えられた日除《ひよ》け用の木の影に入り、もうしばらく二人を見まもった。すると父親はひとりで自分の2《ツー》ドアの車に乗りこみ、車の流れのなかに入って姿を消した。メラニーはあとを追わなかった。彼女は駐車中の二台の車のあいだの陰に座りこみ、建物を観察した。

そうやって物陰に座っていると、目から涙があふれ、怒りが一気に膨れあがって心に満ちた。メラニーは女がふたたびマンションの建物の玄関ドアから出てくるところを頭に思い描いた。そしてそのあとも想像した。女は通りをわたり、自分のいるところまで歩いてくる。自分は女をなぐり倒す。女は歩道に仰向けに転がる。

三〇分後、ほんのすこしだが気持ちが静まった。メラニーは立ち上がった。もうバイクに乗って立ち去ろうと思った。だがそのとき、地中海の別の地域からやってきたと思われる美女が、車輪付きのスーツケースを引きながら建物の前の歩道にふたたび姿をあらわした。と、数秒後、二人の男が乗った黄色のシトロエンが走ってきて、女のすぐそばにとまった。そして、驚いたことに、二人の男がスーツケースをシトロエンのトランクに積みこみ、女は車に乗りこんだ。

男たちは屈強そうな若者で、首をしきりに左右に振って、あたりのようすをうかがっていた。その仕種《しぐさ》がなにやらいわくありげで怪しかった。三人の乗ったシトロエンは車の流れのなかにもどり、猛然と走り去った。

ふと思いついてメラニーはシトロエンのあとを追った。バイクのヴェスパに乗って、車の流れのなかの黄色いシトロエンを尾《つ》けるのは簡単だった。彼女は泣きながらバイクを運転し、母親のことを思った。

二〇分ほど走った。ナイル川に架かる一〇月六日橋をわたった。ドッキー地区に入ったとき、メラニーの傷ついた心はさらに落ちこんだ。ドッキーは外国の大使館が集中している地区なのだ。なぜかメラニーにはわかった――父がしているのは単なる不倫ではなく、どこかの国の外交官の妻か外国人との不倫なのだと。父はきわめて危険な火遊びをしているのであり、その愚かとしか言いようのない行為が発覚したら、軍法会議にかけられる可能性があり、刑務所行きにさえなるかもしれない。

そう思っている間に、黄色のシトロエンはパレスチナ大使館のゲートをくぐり抜けた。それでメラニーはふたたび、これはやはり単なる不倫ではないのだと思った――いや、そう確信した。

父はスパイ活動に協力していたのだ。

メラニーは最初、空軍大佐である父に問いただささなかった。自分自身の将来のことを考えてしまったのだ。父が逮捕されれば、自分が国務省に職を得るなんてことは不可能になる。外務機関である国務省が売国奴《ばいこくど》の娘を雇うわけがない。

だが、母がダラスからもどる前夜、メラニーは父の書斎に入っていき、机のそばまで進むと、いまにも泣きだしそうな顔をしてそこに立ちつくした。

「どうかしたのか？」

「どういうことかわかっているはずよ」

「えっ？」

「わたし、あの女を見たの。二人がいっしょにいるところを見たの。どういうことをしているのか知っている」

ロナルド・クラフト大佐は初め疑惑を否定した。出張が土壇場《どたんば》で中止になったので、旧友に会いにいっただけだと言い張った。だが、メラニーの剃刀《かみそり》のように鋭い頭脳に次々に嘘をあばかれ、四八歳の大佐はどんどん追い詰められていき、自分がついた嘘による自縄自縛から逃れようと必死になってもがいた。

結局、大佐は泣き崩れ、女との関係を告白した。女の名前はミラで、彼女とは数カ月前から不倫関係にある、と娘のメラニーに説明し、自分は妻を愛しているので弁解のしようがない、とも言った。そして両手に顔をうずめて机にうつ伏すようにし、気持ちを落ち着かせたいのですこし時間をくれないか、とメラニーに頼んだ。

だが、メラニーにはまだ言うべきことがあった。

「よくもあんなことができたわね？」

「だから、あの女に誘惑されたんだ。わたしが弱かったということだ」

メラニーは首を振った。彼女が尋ねたのはそういうことではなかった。「お金が欲しかったの？」

ロナルド・クラフトは両手にうずめていた顔を上げた。「お、お金？　何の金？」

「向こうはいくら払ったの？」

「向こうってだれ？　いくら払ったかって、だ、だれが？」

「まさか彼らの大義に共鳴したわけではないわよね？」

「いったい何を言っているんだ、おまえは？　だれのことを言っているんだ？」

「パレスチナ人」

クラフト大佐は椅子《いす》に座ったままピンと背筋を伸ばした。いままで怯《おび》えていたのに一転して挑む口調になった。「ミラはパレスチナ人じゃないぞ。レバノン人だ。キリスト教徒だ。いったいおまえはどうしてそんなことを――」

「だって、あの日あなたが〝愛の巣〟を去ったあと、二人の男が車でやってきて女を拾い、三人でアル＝ナハダ通りのパレスチナ大使館に入っていったのよ！」

父と娘は長いあいだじっと見つめ合った。

だいぶたってから大佐が口をひらいた。「おまえは見まちがえたのだ」自信のない小さな声だった。

メラニーは首を振った。「見まちがえるわけがない」

空軍大佐の父親は愛人に利用されているなんて夢想もしていなかった、ということがすぐに明らかになった。

「わたしは何をしてしまったのだろう？」

「あの女にどんなことを話したの？」

大佐は椅子に座ったまま、ふたたび顔を両手にうずめ、しばらく何も言わずにそうしていた。娘は父におおいかぶさるように立っていた。大佐は美しいミラとかわした会話をすべて思い出そうとした。そしてついにうなずいた。「いろいろ話した。仕事に関する細々したことを。同僚のこととか、協力者のこととか。ついでに話したことばかりだ。彼女はパレスチナ人を憎んでいた……。パレスチナ人のことばかり話していた。だからわたしは……わたしは……イスラエルを助けるためにどういうことをしているか彼女に話して聞かせた。わたしは誇らしく、嬉《うれ》しかった。自慢話をしていたのだ」

メラニーは何も言わずに黙っていた。だが、父親は彼女の考えていることを口にした。「わたしは大馬鹿者《おおばか》だ」

自首し、当局に自分がしたことを説明したい、自分はどうなってもいい、と大佐は言った。

だが、一七歳のメラニーは金切り声をあげて父親を責めた。彼女はこう言ったのだ。自分が演じた愚行を恥じ、そうやって心の折り合いをつけようというわけね。でも、そんなことをしたら、わたしやマムの人生はめちゃくちゃになるのよ。男らしく振舞って。ミラと縁を切り、自分がしたことをだれにも絶対に話さないでちょうだい。わたしとマムのために。

大佐はそうすると約束した。

メラニーは大学に入学し、以後、父親とはひとことも口を利《き》かなかった。ロナルド・クラフトは退役し、友人とも空軍の同僚ともいっさい連絡をとらないようになり、妻とともに故郷のダラスにもどって、工業用の溶剤と潤滑油を売る仕事をはじめた。

メラニーの母は二年後に死んだ。死因は母の姉の命を奪ったのと同じ癌《がん》だった。メラニーは父親のせいだと言った。ただ、その理由まで口にすることはできなかった。

大学ではメラニーは、懸命に頑張って、あの最悪の記憶をすべて心の外に追いやろうとした。あの異常な地獄の数日間を、アメリカの政府機関の職員になるという将来に向けて邁進《まいしん》する幸せな学生生活から完全に隔離してしまおうと、最善を尽くしたのだ。

だが、あの事件は彼女に多大な影響を及ぼさずにはおかなかった。外交の領域で働きたいというそれまでの思いが、諜報の世界で働きたいという思いに変化したのである。敵のスパイに危うく家族と自分の世界をめちゃくちゃにされるところだったのだから、そういう者たちに反撃したいという気持ちになったのは、自然なことだった。

メラニーは自分が見たことをだれにも話さなかったし、CIAの応募書類でも面接でも嘘をついた。自分は正しいことをしているのだと自分に言い聞かせた。父親が色仕掛けにひっかかったからといって、それで自分の人生、未来まで台無しにされるなんて耐えられない。自分は祖国のために、とっても良いこと――いまはまだどういうものであるかわからない、とっても良いこと――をたくさんできる人間なのだ。

ＣＩＡの嘘発見器が自分の嘘を見抜けなかったときはメラニーも驚いたが、父の罪なんか自分にはまったく関係ないのだと確信するあまり、そのことを考えても心拍が変化することさえないのだ、と彼女は思うことに決めた。

自分がアメリカのためにしっかり働けば、父が祖国に与えた損害はすべて清算されるのだ。

父の罪を残念に思う気持ちは相変わらず消えなかったが、メラニーはもうかなり前に、もはやだれにもあのことは知られないのだと信じるようになり、安心しきっていた。

ところが、ダレン・リプトンが〝おれは知っているぞ〟と言って脅してきたのだ。メラニーは足首をつかまれて水中に引っぱりこまれたような気分だった。彼女は慌《あわ》てふためいた。息ができない、苦しい、逃げないと死んでしまう。メラニーは完全にパニックにおちいってしまったのだ。

FBIの捜査官たちが父のスパイ行為を知っているとわかったいま、未来は不確かなものになり、自分の世界が早くも崩壊しだしているということにもメラニーは気づいた。あの悪夢に苦しめられる日々がもういつぶり返してもおかしくない。

だから、メトロの車掌が車内放送で降車駅を告げたとき、メラニーはリプトンが欲しくてたまらないジャックに関する情報をわたそうと決心した。だいたいジャック・

ライアン・ジュニアというボーイフレンドには自分も疑惑を抱いている。ジャックの慌ただしい出国、行き先についての嘘、それに仕事を曖昧《あいまい》にぼかしてきちんと説明しないというのも怪しい。だがそれでも彼女はジャックがどういう人間だかわかっていたし、愛してもいた。ジャックが私腹を肥やすために秘密情報を盗んでいるとは、メラニーにはどうしても思えなかった。

リプトンには協力する。でも、この捜査では何も出てこないはずで、すぐにリプトンは自分の前から姿を消し、すべては終わるだろう。そうしたら、その記憶もまた自分の人生から隔離してしまえばいい。諜報界の専門用語を使えば、〈区画化〉してその記憶がふたたび甦《よみがえ》らないようにすればいい。そう、カイロのようなことはもう絶対にいや。あんなふうに悪夢に苦しめられるのはもう絶対にごめんだ。そうメラニーは自分に言い聞かせた。

ＦＢＩ上級特別捜査官ダレン・リプトンは、トヨタ・シエナを国道1号線にもどすと、南下して一四番通り《ストリート》橋へと向かった。午前九時にポトマック川をわたったとき、彼の心臓はまだ高鳴っていた。それは色っぽいＣＩＡ女と接触したばかりだったからだが、これから行く場所での行為を想像してわくわくしているためでもあった。

T・クランシー
G・ブラックウッド
田村源二訳

デッド・オア・アライヴ（1〜4）

極秘部隊により9・11テロの黒幕を追え！軍事謀略小説の最高峰、ジャック・ライアン・シリーズが空前のスケールで堂々の復活。

T・クランシー
M・グリーニー
田村源二訳

ライアンの代価（1〜4）

ライアン立つ！ 再び挑んだ大統領選中、頻発するテロ。〈ザ・キャンパス〉は……。国際政治の裏の裏を暴く、巨匠の国際諜報《インテリジェンス》小説。

T・クランシー
P・テレップ
伏見威蕃訳

テロリストの回廊（上・下）

米国が最も恐れる二大巨悪組織、タリバンと南米麻薬カルテルが手を組んだ！ アメリカ中を震撼させる大規模なテロが幕を開ける。

C・カッスラー
P・ケンプレコス
土屋　晃　訳

フェニキアの至宝を奪え（上・下）

ジェファーソン大統領の暗号——世界の宗教地図を塗り替えかねぬフェニキアの彫像とは。古代史の謎に挑む海洋冒険シリーズ！

C・カッスラー
D・カッスラー
中山善之訳

神の積荷を守れ（上・下）

モスク爆破、宮殿襲撃……。邪悪な陰謀を企むオスマン王朝の末裔が次に狙いをつけたのは——。ダーク・ピット・シリーズ！

A・グレン
佐々田雅子訳

鷲たちの盟約（上・下）

一九四三年、専制国家と化した合衆国。ある死体の発見を機に、ひとりの警部補が恐るべき国家機密の真相に肉薄する。歴史改変巨編。

メラニー・クラフトとは肉体的なやりとりもしたが、もちろんそれは彼が期待していたような形のものではなかった。メラニーに平手打ちを食わされたときリプトンは、彼女の喉《のど》をつかんでバックシートに引きずりこみ、懲《こ》らしめてやりたい衝動に駆られた。だが、上の者たちが彼女を必要としていることはわかっていた。

それにリプトンは、制御できないほど強い衝動に駆られていても命令されたことを実行する術《すべ》を学んでもいた。

五五歳になるリプトンには、今日はもうこのままおとなしく家に帰ったほうがいいとわかっていた。だが、大枚はたかなければならない高級コールガールを買えないときによく利用するマッサージ・パーラーが、ロナルド・レーガン・ワシントン・ナショナル空港わきのクリスタルシティにある安モーテルで商売していて、そういう低級な悪所は朝のこんな時間でも営業している、ということもわかっていた。だから、底意地の悪い女房と扱いにくいティーンエージャーの子供たちが待つシャンティリーの家に帰る前に、そのマッサージ・パーラーに寄って、ミス・メラニー・クラフトのせいでたまったストレスをちょいと抜くことに決めた。

そのあと、今日の接触を上に報告し、さらなる指示を待つことにしよう。

J・アーチャー
永井淳訳
百万ドルをとり返せ！

株式詐欺にあって無一文になった四人の男たちが、オクスフォード大学の天才的数学教授を中心に、頭脳の限りを尽す絶妙の奪回作戦。

J・アーチャー
永井淳訳
ケインとアベル（上・下）

私生児のホテル王と名門出の大銀行家。典型的なふたりのアメリカ人の、皮肉な出会いと成功とを通して描く〈小説アメリカ現代史〉。

J・アーチャー
永井淳訳
誇りと復讐（上・下）

幸せも親友も一度に失った男の復讐計画。読者を翻弄するストーリーとサスペンス、胸のすく結末が見事な、巧者アーチャーの会心作。

J・アーチャー
戸田裕之訳
15のわけあり小説

面白いのには〝わけ〟がある――。時にはくすっと笑い、騙され、涙する。巨匠が腕によりをかけた、ウィットに富んだ極上短編集。

J・アーチャー
戸田裕之訳
時のみぞ知る（上・下）
―クリフトン年代記　第1部―

労働者階級のクリフトン家、貴族のバリントン家。名家と庶民の波乱万丈な生きざまを描いた、著者王道の壮大なサーガ、幕開け！

J・アーチャー
戸田裕之訳
死もまた我等なり（上・下）
―クリフトン年代記　第2部―

刑務所暮らしを強いられたハリー。彼の生存を信じるエマ。多くの野心と運命のいたずらが二つの家族を揺さぶる、シリーズ第2部！

J・グリシャム
白石 朗 訳

自白（上・下）

死刑執行直前、罪を告白する男――若者は冤罪なのか？ 残されたのは四日。深い読後感を残す、大型タイムリミット・サスペンス。

S・クリスター
大久保 寛 訳

列石の暗号（上・下）

ストーンヘンジで行われる太古の儀式。天文学者の不可解な自殺。過去と現代を結ぶ神々のコードとは。歴史暗号ミステリの超大作。

G・ジャーキンス
二宮 磐 訳

あの夏、エデン・ロードで

楽園の幼年期に「怪物」に出会ってしまった兄妹は……。予感的中、事態は最悪に――だが読まずにおれない禁断のダーク・ミステリ。

A・ジョンソン
佐藤耕士訳
蓮池薫監訳

半島の密使（上・下）

ジュンドは不条理な体制に翻弄されながらも、国家の中枢に接近しようとする。愛するものを守り抜く、青年の運命を描いた超大作。

B・テラン
田口俊樹訳

暴力の教義

武器を強奪した殺人者と若き捜査官。革命前夜のメキシコに同行潜入する二人は過去を共有していた――。鬼才が綴る〝悪の叙事詩〟。

D・デリーロ
上岡伸雄訳

コズモポリス

巨億を動かす若き寵児はその日、破滅の危機にあった――相場と殺し屋のために。現代世界文学最大の巨匠が放つ極上のサスペンス。

T・ハリス
高見浩訳
羊たちの沈黙（上・下）
FBI訓練生クラリスは、連続女性誘拐殺人犯を特定すべく稀代の連続殺人犯レクター博士に助言を請う。歴史に輝く〝悪の金字塔〟。

T・ハリス
高見浩訳
ハンニバル（上・下）
怪物は「沈黙」を破る……。血みどろの逃亡劇から7年。FBI特別捜査官となったクラリスとレクター博士の運命が凄絶に交錯する！

T・ハリス
高見浩訳
ハンニバル・ライジング（上・下）
稀代の怪物はいかにして誕生したのか――。第二次大戦の東部戦線からフランスを舞台に展開する、若きハンニバルの壮絶な愛と復讐。

フリーマントル
稲葉明雄訳
消されかけた男
KGBの大物カレーニン将軍が、西側に亡命を希望しているという情報が英国情報部に入った！ ニュータイプのエスピオナージュ。

フリーマントル
戸田裕之訳
顔をなくした男（上・下）
チャーリー・マフィン、引退へ！ ロシアでの活躍が原因で隠遁させられた上、敵視するMI6の影が――。孤立無援の男の運命は？

R・D・ヤーン
田口俊樹訳
暴行
CWA賞最優秀新人賞受賞
払暁の凶行。幾多の目撃者がいながら、誰も通報しなかった――。都市生活者の内なる闇と'60年代NYの病巣を抉る迫真の群像劇。

柴田元幸訳
P・オースター

ガラスの街

透明感あふれる音楽的な文章と意表をつくストーリー――オースター翻訳の第一人者によるデビュー小説の新訳、待望の文庫化！

柴田元幸訳
P・オースター

幽霊たち

探偵ブルーが、ホワイトから依頼された、ブラックという男の、奇妙な見張り。探偵小説？哲学小説？ '80年代アメリカ文学の代表作。

柴田元幸訳
P・オースター

孤独の発明

父が遺した夥しい写真に導かれ、私は曖昧な記憶を探り始めた。見えない父の実像を求めて……。父子関係をめぐる著者の原点的作品。

柴田元幸訳
P・オースター

ムーン・パレス

日本翻訳大賞受賞

世界との絆を失った僕は、人生から転落しはじめた……。奇想天外な物語が躍動し、月のイメージが深い余韻を残す絶品の青春小説。

柴田元幸訳
P・オースター

偶然の音楽

〈望みのないものにしか興味の持てない〉ナッシュと、博打の天才が辿る数奇な運命。現代米文学の旗手が送る理不尽な衝撃と虚脱感。

柴田元幸他訳
P・オースター編

ナショナル・ストーリー・プロジェクト（I・II）

全米から募り、精選した「普通」の人々のちょっと不思議で胸を打つ実話180篇。『トゥルー・ストーリーズ』と対をなすアメリカの声。

カポーティ
河野一郎訳
遠い声 遠い部屋

傷つきやすい豊かな感受性をもった少年が、自我を見い出すまでの精神的成長の途上でたどる、さまざまな心の葛藤を描いた処女長編。

カポーティ
大澤薫訳
草の竪琴

幼な児のような老嬢ドリーの家出をめぐる、ファンタスティックでユーモラスな事件の渦中で成長してゆく少年コリンの内面を描く。

カポーティ
川本三郎訳
夜の樹

旅行中に不気味な夫婦と出会った女子大生。人間の孤独や不安を鮮かに捉えた表題作など、お洒落で哀しいショート・ストーリー9編。

カポーティ
佐々田雅子訳
冷血

カンザスの片田舎で起きた一家四人惨殺事件。事件発生から犯人の処刑までを綿密に再現した衝撃のノンフィクション・ノヴェル！

カポーティ
川本三郎訳
叶えられた祈り

ハイソサエティの退廃的な生活にあこがれるニヒルな青年。セレブたちが激怒し、自ら最高傑作と称しながらも未完に終わった遺作。

カポーティ
村上春樹訳
ティファニーで朝食を

気まぐれで可憐なヒロイン、ホリーが再び世界を魅了する。カポーティ永遠の名作がみずみずしい新訳を得て新世紀に踏み出す。

S・シン
青木薫訳

フェルマーの最終定理

数学界最大の超難問はどうやって解かれたのか？ 3世紀にわたって苦闘を続けた数学者たちの挫折と栄光、証明に至る感動のドラマ。

S・シン
青木薫訳

暗号解読（上・下）

歴史の背後に秘められた暗号作成者と解読者の攻防とは。『フェルマーの最終定理』の著者が描く暗号の進化史、天才たちのドラマ。

S・シン
青木薫訳

宇宙創成（上・下）

宇宙はどのように始まったのか？ 古代から続く最大の謎への挑戦と世紀の発見までを生き生きと描き出す傑作科学ノンフィクション。

S・シン
E・エルンスト
青木薫訳

代替医療解剖

鍼、カイロ、ホメオパシー等に医学的効果はあるのか？ 二〇〇〇年代以降、科学的検証が進む代替医療の真実をドラマチックに描く。

M・デュ・ソートイ
冨永星訳

素数の音楽

神秘的で謎めいた存在であり続ける素数。世紀を越えた難問「リーマン予想」に挑んだ天才数学者たちを描く傑作ノンフィクション。

K・グリムウッド
杉山高之訳

リプレイ
世界幻想文学大賞受賞

ジェフは43歳で死んだ。気がつくと彼は18歳——人生をもう一度やり直せたら、という窮極の夢を実現した男の、意外な、意外な人生。

新潮文庫最新刊

木下半太著
ジュリオ
市長暗殺計画の黒幕は一体誰だ？　もう二度と大切な仲間を失いたくない――。天涯孤独の少年の魂荒ぶる高速クライムサスペンス！

村田沙耶香著
ギンイロノウタ
野間文芸新人賞受賞
秘密の銀のステッキを失った少女は、憎しみの怪物と化す。追い詰められた心に制御不能の性と殺意が暴走する最恐の少女小説。

香月日輪・後藤みわこ・ひこ・田中・寮美千子・令丈ヒロ子著
キラキラデイズ
自分ってなんだろう。友情に、恋に、夢に悩み、葛藤する中学生の一瞬のきらめきを、個性ある五人の作家が描く青春アンソロジー。

草凪優著
ちぎれた夜の奥底で
部下の女性とのダブル不倫はエスカレートしてゆく。深夜のオフィスや屋上での危険な情事。刹那の快楽こそ救いだった。官能長編。

小林秀雄著
直観を磨くもの
―小林秀雄対話集―
湯川秀樹、三木清、三好達治、梅原龍三郎……。各界の第一人者十二名と慧眼の士、小林秀雄が熱く火花を散らす比類のない対論。

井上ひさし・平田オリザ著
話し言葉の日本語
せりふの専門家である劇作家ふたりが、話し言葉について徹底検証。従来の日本語論とは違う角度から日本語の本質に迫った対話集。

This edition published by arrangement with G. P. Putnam's Sons,
a member of Penguin Group (USA) Inc., through
Tuttle-Mori Agency, Inc., Tokyo

米《べい》中《ちゅう》開《かい》戦《せん》 1

新潮文庫　ク－28－53

Published 2014 in Japan
by Shinchosha Company

平成二十六年一月一日発行

訳者　田《た》村《むら》源《げん》二《じ》

発行者　佐藤隆信

発行所　株式会社 新潮社

郵便番号　一六二―八七一一
東京都新宿区矢来町七一
電話 編集部(〇三)三二六六―五四四〇
読者係(〇三)三二六六―五一一一
http://www.shinchosha.co.jp

価格はカバーに表示してあります。

乱丁・落丁本は、ご面倒ですが小社読者係宛ご送付ください。送料小社負担にてお取替えいたします。

印刷・錦明印刷株式会社　製本・錦明印刷株式会社

ISBN978-4-10-247253-8 C0197